W9-CHR-792

LA RÉCLUSION SOLITAIRE

Une histoire d'amour. Entre un travailleur immigré et une image de femme, née du rêve et de l'absence. Elle se mêle à sa mémoire, fait lever les souvenirs, le village nu, la terre fêlée, le déboisement humain du pays, la révolte des paysans, des hommes en prison, l'enfant laissé à l'olivier, la mère, le soleil fidèle à l'abandon et à la misère… Il lui parle, lui raconte son pays.

La malle dans laquelle il vit se referme sur ses jours anciens et son univers intérieur.

Pour rompre cette réclusion, pour échapper au vertige du fantasme et à la mélancolie de l'isolement, il « tue » l'image, il émerge au réel. Dans la rue, il rencontre la violence, la haine, le racisme. Sur une plage, banlieue de ses rêves, il fait la connaissance de Gazelle, une Palestinienne, orpheline de sa terre. Il espère ainsi sortir de la réclusion solitaire à laquelle l'émigration et l'exil l'ont condamné. Peut-être va-t-il la rejoindre dans la prairie de la Révolution, à moins qu'il ne rentre au pays.

Écrivain marocain de langue française, Tahar Ben Jelloun est né en 1944. Il a publié de nombreux romans, recueils de poèmes, essais. Il a obtenu le prix Goncourt en 1987 pour La Nuit sacrée, *ainsi que le prix international Impac en 2004 pour* Cette aveuglante absence de lumière, *l'une des plus prestigieuses récompenses littéraires.*

Tahar Ben Jelloun

LA RÉCLUSION SOLITAIRE

Denoël

TEXTE INTÉGRAL

ISBN 2-02-025913-3
(ISBN 2-02-005934-7, 1re publication poche)

© Éditions Denoël, 1976

Le Code de la propriété intellectuelle interdit les copies ou reproductions destinées à une utilisation collective. Toute représentation ou reproduction intégrale ou partielle faite par quelque procédé que ce soit, sans le consentement de l'auteur ou de ses ayants cause, est illicite et constitue une contrefaçon sanctionnée par les articles L.335-2 et suivants du Code de la propriété intellectuelle.

à Edmond et Marie-Cécile

Il n'y a pas lieu d'être opti-
[miste ou pessimiste.
Mais il y a un territoire où
on vous dépose
comme un sac de sable
du sable fin
mêlé de cristaux de sel et de
[désespoir
Alors les mots...

Un corps prendra aujourd'hui le chemin du retour. Il voyage dans une boîte métallique. Ses rêves en papier peint sont ramassés par les enfants. Il y a un reste de vie à ramasser, à empaqueter dans un ciel d'aluminium, à ficeler et à renvoyer au pays.

N'oubliez pas l'étiquette et le parfum.

Le soleil a caché ses doigts dans la cendre d'un nuage qui me sépare de la vie.

Depuis quelque temps, j'ai la vie d'un arbre arraché à ses racines. Desséché et exposé dans une vitrine. Je ne sens plus la terre. Je suis orphelin. Orphelin d'une terre et d'une forêt.

Je ne saigne plus.

Ecoutez-moi :

Ma chambre est une malle où je dépose mes économies et ma solitude.

J'ai dans les yeux un rêve éteint ; un olivier qui attend le vent et le jour.

Mon bout-de-vie s'organise avec peu de chose : une écorce de rechange, quelques bribes d'un chant et des sacs de sable. Dans la malle, je laisse mon sexe chaque fois que je dois sortir en ville ou aller à l'usine. Le soir, quand je reviens, j'achète des pommes de terre, de l'huile et de la menthe.

Mon lit est creux. Mon dos est fissuré par la fatigue.

Je prépare à manger dans la malle. Je mange et parle à mes bottes. Je chante dans mes bottes. Je hurle dans mes bottes. Je pisse aussi dans mes bottes.

La nuit descend et froisse la couverture. Pour dissiper cette chute, je me souviens d'un aigle qui me porta sur les cimes. Je m'étendais sur les nuées...

La voix d'une femme. Une étrangère. Une inconnue, vague qui retourne mes paupières. L'écume est bleue. Mon sexe se lève et se renverse. Mes jambes tremblent dans la nuit qui enveloppe mon désir. Quel désir ? Une folie qui piétine, et mes doigts serrent ma verge qui crie. Quel désir ? Une image peuplée d'étincelles et de miroirs. Des miroirs dansent sur mon corps, sur ma langue sèche.

J'ai vingt-six ans et quelques étincelles dans cet univers malade. Je sais. Je sens que quelque chose meurt en ces lieux. La tendresse et le temps. La nécessité est un couteau qui traverse des corps. Moha répétait « l'argent, des millions d'argent ». L'argent saigne le ciel. Et les cœurs se vident. C'est la mise à mort lente et permanente. Mais nous, mais moi, que faisons-nous dans ce territoire, un supermarché du sang et de la sueur, un supermarché de l'esclavage et de l'indifférence ?

J'ai assez de sève dans mes veines (je crois) pour éclater encore de rire au moment où on comptabilise le peu de vie qui reste suspendu à quelque lueur.

Je cours dans ma malle.

Ma main est un vagin. Un vagin superbe qui s'ouvre à mon chant. J'ai vingt-six ans, et les doigts du soleil me tournent le ventre. Ma main est chaude. Ma verge se lève. Une foule d'images envahit les paroles métalliques. Elles tombent l'une après l'autre ; je choisis la plus belle, la plus inaccessible et je la fixe. Ma verge levée au ciel crache le plaisir en papier, crache mes fatigues et ma douleur. Je me recroqueville dans la malle. Je serre les jambes. J'ai froid. La malle est inondée. Les miroirs se dissipent. La voix de l'étrangère est un râle qui sort de mes tripes.

Je tombe. Je m'effondre. Je ramasse les jambes et les bras.

J'essaie de dormir, de cacher mon visage dans des draps, dans les bras d'une mère. Dans mes yeux, un arbre et un enfant. Ils me disent que c'est le printemps, là-bas. Ils me disent que la montagne a englouti les femmes infidèles. Ils me parlent de la moisson de cette année : elle est bonne ; l'industriel est passé avec ses camions ; il nous a laissé quelques sacs de blé... Dans mes yeux, une lumière éteinte, mouillée. Le soleil se détraque et mes. doigts serrent mes testicules.

Quel désir ? Un corps flambé...

Je dépose mes vertèbres. Je les compte et me lave les dents.

Aujourd'hui je ne travaille pas.
Je laverai mon linge dans le lavabo de la cour. J'irai ensuite au café.

Par arrêté préfectoral (ou autre), je dois abandonner la malle. On me propose une cage dans un bâtiment où les murs lépreux et fatigués doivent abriter quelques centaines de solitudes. Il n'y avait rien à déménager : des vêtements et des images ; un savon et un peigne ; une corde et quelques épingles à linge.
La chambre.

Une boîte carrée à peine éclairée par une ampoule qui colle au plafond. Les couches de peinture qui se sont succédé sur les murs s'écaillent, tombent comme des petits pétales et deviennent poussière.

Quatre lits superposés par deux. Une fenêtre haute.

La chambre.

Une villa rouge. Un immeuble en verre. C'est surtout la villa rouge qui a longtemps hanté mes insomnies. Je passais à côté et crachais. Ou alors quand j'étais courageux, je sonnais et pissais. Je prenais rarement la fuite ; le gardien (pauvre homme) me menaçait de sa canne ; il aimait bien ses maîtres, riches et méprisants. Je rêvais de faire sauter la villa. Je ne sais plus si j'avais la bonté de la faire évacuer d'abord. C'était là des rêves d'adolescent. Je me promenais dans la nuit avec des caisses de dynamite ; je posais une charge dans chaque villa ; je reliais les maisons par un fil conducteur comme dans un western, et arrivé à la sortie de la ville, je faisais tout sauter. Plus de villas rouges !

Ici, les immeubles en verre m'amusent. Je n'ai pas envie de les détruire...

Thank you for shopping at

Schoenhof's

Customer 80-0000000
BOSTON POS

9782020259132-BEN-JELLOUN,T: O/P REC
1 @ 11.95 2.99

BEN-JELLOUN,T: O/P RECLUSION
SOLITAIRE

Boston 0.19

Boston 0.19

Boston 0.19
Amount Due 3.18

Cash for Chicago and I 3.20
Cash for Chicago and I 3.20
Cash for Chicago and I 3.20
Change Due 0.02

Thank You Sale
0239016 02/21/2013
T193 8:43:00PM

Return Policy

We accept returns within 14 days with a receipt for store credit. Magazines, Cassettes, CDs, software, sale books and special orders are not returnable

Quelqu'un frappe à la malle. Ce n'est pas la mort, ni quelque étoile. Ce sont des hommes envoyés par l'autorité suprême. Ils veulent vérifier si ma peau est ridée, si ma langue est plantée de rosiers, si mes mains sont dures.

— Pourquoi vous vous cachez dans cette malle ?

— Je ne me cache pas, j'y habite...

— Vous ne vous êtes pas présenté hier au travail...

— J'avais du chagrin, ma femme m'a quitté...

— Savez-vous que c'est un acte subversif ?

— J'ai déposé mes rêves et mes illusions au bas de la porte. Je suis un être en faillite, comme une société qui dépose son bilan...

— Quel bilan ?

— Toute ma folie qui m'aidait à vivre...

— Vous avez fait votre déclaration ?

— J'ai déclaré toute ma folie à la nuit qui m'habite.

— On vous arrête : vous êtes coupable d'être fou, coupable d'habiter dans une malle, coupable d'avoir déliré, coupable de haute subversion, coupable de parler un langage particulier, vous êtes coupable de ne pas être comme les autres...

Le blond aux yeux marron me réveilla, m'offrit du thé et des figues et nous partîmes au travail.

A l'entrée du bâtiment, on nous a donné le règlement :

— Il est interdit de faire son manger dans la chambre (il y a une cuisine au fond du couloir) ;

— Il est interdit de recevoir des femmes (il y a un bordel, *Chez Maribelle,* pas loin d'ici) ;

— Il est interdit d'écouter la radio à partir de neuf heures ;

— Il est interdit de chanter le soir, surtout en arabe ou en kabyle ;

— Il est interdit d'égorger un mouton dans le bâtiment (attendez d'être dans votre bled pour faire couler le sang des agneaux) ;

— Il est interdit de se masturber dans la chambre (allez aux W.-C. pour ça) ;

— Il est interdit de faire du yoga dans les couloirs ;

— Il est interdit de repeindre les murs, de toucher aux meubles, de casser les vitres, de changer d'ampoule, de tomber malade, d'avoir la diarrhée, de faire de la politique, d'oublier d'aller au travail, de penser à faire venir sa famille, de faire des enfants à des Françaises, d'aller draguer dans des églises, de sortir en pyjama dans la rue, de vous plaindre des conditions objectives et subjectives de vie, d'avoir de la sympathie pour des groupuscules gauchistes, de lire ou d'écrire des injures sur les murs, de vous disputer, de vous battre, de manier le couteau, de vous venger ;

— Il est interdit de mourir dans cette chambre, dans l'enceinte de ce bâtiment (allez mourir ailleurs ; chez vous, par exemple, c'est plus commode) ;

— Il est interdit de vous suicider (même si

on vous enferme à Fleury-Mérogis) ; votre religion vous l'interdit, nous aussi ;

— Il est interdit de monter dans les arbres ;

— Il est interdit de vous peindre en bleu, en vert ou en mauve ;

— Il est interdit de circuler en bicyclette dans la chambre, de jouer aux cartes, de boire du vin (pas le champagne) ;

— Il est aussi interdit de se travestir ou de prendre un autre chemin pour rentrer du boulot.

Vous êtes avertis. Nous vous conseillons de suivre le règlement, sinon c'est le retour à la malle et à la cave, ensuite ce sera le séjour dans un camp d'internement en attendant votre rapatriement.

Dans cette chambre, je dois vivre avec le règlement et trois autres personnes : le blond aux yeux marron, le brun aux yeux rieurs, et le troisième est absent, il est hospitalisé parce qu'il a mal dans la tête.

La chambre.

Mon dos est fatigué.

Le ciel est lourd dans mes reins. Je respire mal. La fumée me traque. J'ai chaud. Dans le mur, une fissure. Dans le mur un champ. Une petite cabane. Un arbre. Nous sommes assis sur la natte, nos regards se cherchent :

Tu sais, il n'est pas facile pour un citadin de débarquer chez les paysans et de vouloir faire la révolution. Il ne s'agit pas de faire de l'agitation. Il s'agit de vivre avec eux, être des leurs, réellement. Au début, je manquais de pudeur : mon langage était celui d'un étranger (vous direz, vous à la ville, à la fac, le langage d'un petit-bourgeois). Je ne parlais plus. J'apprenais. En même temps, il fallait laver mon cerveau et ma mémoire où des bouquins étaient entassés, mal lus, mal digérés. Avant, j'essayais d'écrire, comme toi. Quel leurre !

La violence me répugne. Je voulais que la lutte se fasse en douceur. En même temps nous subissons la violence des autres, ceux-là qui possèdent, qui mangent, rotent et construisent des villas rouges. Je ne parle pas de la violence policière. Elle est technique, je dirais même qu'elle est normale. La torture m'a réconci-

lié avec la mort. Je retenais ma respiration le plus longtemps possible pour retrouver de nouveau le bonheur immense de pouvoir respirer. J'avais lu ça dans un bouquin. Une plus grande douleur peut atténuer les douleurs secondaires. Quand je m'évanouissais, j'avais l'impression de faire l'apprentissage de la mort. J'ai eu peur. Je n'arrivais pas à me détacher de mon corps. J'essayais de parler aux hommes qui me torturaient, de les persuader de quelque chose ; je leur parlais de leurs enfants, de leur foyer, de l'école, de l'injustice sociale...

Un petit vent soulève la terre jaune. Le thé est tiède. Le soleil passe la main sur le blé. De nouveau le mur. La fissure s'éloigne. La chambre est froide. Les compatriotes ronflent.

Aujourd'hui je ne travaille pas.

Je suis propre. Je me suis rasé les aisselles et le ventre. Mon sexe est libre. Je vais chez les femmes.

Au quarante-deux, il faut faire la queue. Je n'ai plus honte ; depuis le temps que je traîne mon cul dans cette rue ! Je retrouve des copains, des habitués.

Je suis propre. Je me suis brossé les dents. Le ciel est amer. Mes mains dans les poches retiennent mon sexe. J'ai comme un chat dans la poitrine. J'enfonce ma solitude dans ma gorge. Je monte les escaliers.

Quel désir ?

Ses seins tombent. Elle ne ressemble pas à l'image. Ses mains ont peiné. Elle ouvre les jambes en regardant ailleurs. Cinquante francs. Quinze francs pour la chambre et trente-cinq pour le coup. Il faut faire vite.

Là-bas l'arbre et l'enfant. Les collines vertes dansent dans mes mains. Mon sang est chaud. Il bat plus vite que le cœur. Il faut me retenir. Je me mets entre les jambes de la femme. Mon sexe crache le foutre blanc sur son ventre et entre mes doigts.

Je me rhabille.

Je sors dans la rue.

Je suis heureux.

J'ai fait l'amour.

Dans la chambre, aucun message sur le mur. Peut-être le besoin de parler à quelqu'un. De raconter une histoire, invraisemblable mais belle. La nuit peut-être...

Dans le métro.

Son regard est venu s'installer sur mes paupières. Il avait les cheveux teints et une grosse bague au doigt.

Il s'est approché de moi et a mis sa main sur ma braguette. L'heure de pointe. Les gens s'amassaient ; certains devaient s'enculer. Il me serrait les couilles. Je poussai un cri. Il rougit et retira sa main. Il mit ensuite ses fesses molles contre ma verge.

Il me demanda de le suivre.

J'ai bu de l'alcool chez lui. Une maison tout en verre. Des tapis. Des statuettes. Des objets de mon pays.

Mon sexe ne s'est pas levé. Il était froid et mou.

Il s'est énervé. Il se mit à se masturber en s'enfonçant je ne sais plus quoi dans le cul. Je me mis à rire. Il me mit à la porte et me dit que j'étais une chaussette.

Une pluie fine et sale ruisselait sur les affiches.

La nuit.
La chambre.
Lettre à une étrangère :

Ma main s'est levée dans ta chevelure née de l'écume bleue du désir, toi, gazelle orpheline, tu cours dans les sables de mes pensées. Et ton rire fuse du ciel, tel un sein entre les lèvres d'un enfant. Je suis venu sur la vague retournée avec des perles sur le front, un arbre et un enfant dans la voix. Je suis voisin du jour qui te garde ; je suis du soleil qui te protège de l'œil mauvais. Je vais dans ta ville avec un chant pour tromper ma solitude. Quand mon corps dort dans la malle, il ouvre des fenêtres dans le ciel et part sur le nuage bleu, passe d'un corridor à un autre corridor, et vient se lover entre tes seins. Tu me parles l'oubli et l'astre éteint. Les jours s'amassent dans la malle. Je remue les statues pour retrouver ton chemin. Comme mes rêves pèsent sur le bleu des nuages : j'ai dessiné la lune nue sur ton corps frêle. Quel rêve ! Le désir qui suit à la traîne mon sang. Il tourne dans mon corps.

Etrangère.

J'ai vingt-six ans. Je suis ivre de vie. Mais mon corps est orphelin. Suspendu aux nues qui passent, entre l'usine et la vie.

Ma peau est une différence.

La malle a quitté la ville.

La lueur et l'absence dans l'œil argenté.

Je dors ou je rêve. Je parle ou je déchire mes draps.

Je meurs et on m'enterre dans la malle d'un compatriote.

Au loin la fanfare. L'arbre et l'enfant. On me dit que mon pays se donne travesti et fardé aux touristes. Un chant rassemble l'enfant et l'olivier. Mes doigts griffent le ciel. Je voudrais me rapprocher de toi : tu es jeune et beau, enfermé. Tes syllabes sont écrasées. Tes mains cette nuit. La révolte et l'arc-en-ciel. Tes silences creusent la pierre. Ton enfant grandira, enlacé à ton absence. La forêt se déchausse. Le ciel se penche, le front en fleur, les doigts bagués d'or et d'argent. La noce avec la pierre est retardée : tes pieds sont fêlés ; tu voudrais la mer et les sables, pour ne plus bouger, pour que le temps se retire, pour que le mur s'ouvre à tes mains délicates.

Dans la chambre, un murmure.
On gratte la pierre.

Le journal.
Le procès des éléments gauchistes et irresponsables s'est ouvert dans le calme.
Les idéologies importées ne passeront pas.

Un âne blessé, un âne chargé traverse le pays. Sur chaque plaie il dépose un peu de salive. Il enterre son amertume dans une botte de foin et de silence.

Le journal.
Le procès des éléments gauchistes et irresponsables s'est terminé dans le calme.

Des peines de prison ferme ont été prononcées contre les accusés.

Une pensée emplie de terre dans un corps, le corps d'un ami, le corps d'un camarade, à ensevelir derrière le mur, sous la pierre. Le temps. L'aube ou midi. Le soir ou la nuit. Ce sont là des subtilités qui se pulvérisent dans un éclat de sang, dans un cri lent et profond, un dernier appel. Le sommeil. Le réveil. Pour un corps fissuré, pour une âme mutilée, ça ne rime à rien. La voix tombe sur dalle de ciment. S'éloigne le ciel. Les murs avancent. La pierre est froide. Au loin le chant de l'aimée. Les yeux, les mains et la chevelure éclairent soudain la cellule.

à l'extrême pointe de l'isolement, une fêlure...

Lettre à une femme du quartier Barbès.

Madame,

Je viens vous voir tous les quinze jours vider mon corps entre vos jambes. Je paie d'avance. L'éclair traverse mon regard, alors que ma bouche est pâteuse et mon geste maladroit. Je verse ma joie dans un bol de folie passagère et je sais que le ciel est amer. J'ai la peau qui tombe à chaque fois que j'entre dans cette chambre. Je perds les mots et la parole s'entasse dans le ventre.

Madame,

Vous parfumez vos aisselles avec un parfum qui me donne la nausée. Ça me désole. Vous êtes immigrée vous aussi, dans l'espace fade de l'argent. Petite dans la lumière qu'on devine. J'aurais aimé donner mon chant teinté d'un sang heureux. Mais Madame, vous êtes petite et triste. Le soleil m'a expatrié. Nous sommes des expatriés dans le territoire de la blessure. Mon sperme est fade. C'est une amertume fade et tiède.

Quand je sors de chez vous, Madame, je marche le long du trottoir. Je pense à vous et à votre parfum qui me donne la migraine. Je vous regarde dans le désert chercher une oasis. Et j'ai peur que votre parfum ne me donne une maladie vénérienne. Non, c'est la tristesse de l'arbre sans feuille.

Au revoir Madame.

Vous êtes bonne.

En ce dimanche pénible, la peur, l'angoisse. Corps étranger planté dans mon corps et rendant mes mouvements difficiles, dérisoires. J'avais mal. Un mal indéfinissable, souvent localisé au niveau de la poitrine, du cœur et du reste. Pierre lourde posée par quelque destin sur ma poitrine. J'interroge les objets et me perds dans le regard des autres. Il faut faire quelque chose. Sortir, crier, donner un coup de pied dans l'abîme. Je suis sorti. Le vent du soir fermait mes paupières. La peur de tomber dans une agonie quelconque, dans un coin de la rue. La peur d'être emporté par les flots de la nostalgie sur un banc public, là où meurent les exilés (la nostalgie est notre bouée de secours). Et puis ce corps exilé, corps impatient, affolé par cette pesanteur, déjà meurtri par le souvenir vague et futur. Empoigner le ciel, avec les dents, avec les griffes, avec des phrases. Aucune main ne se posera sur mon épaule. Aucune caresse n'effleurera cette peau. Aucune parole ne tombera. Tout restera en ordre, à sa place. Mais où est ma place dans cet ordre. Je suis ici pour gagner un peu d'argent, pour gagner mon destin, l'avenir de mes enfants. Aucun regard ne se lèvera sur ma petite solitude ficelée. Ma mémoire n'est pas riche ce soir. Les belles images sont restées au fond de la cave.

Le souvenir de mon ami en prison m'obsède. Nos solitudes se ressemblent peut-être. Lui, est ligoté dans tous les sens. Moi je suis ligoté, vidé, mais je me déplace. Je vais et viens, isolé, un peu foutu pour l'espoir. Demander, quémander, prier : ce n'est pas pour nous. J'essayais d'expliquer l'autre jour à des compatriotes que nous devons exiger un peu plus d'existence. Ils voulaient bien. Mais que faire ? La rue me traverse pendant que je cherche ma place. Pas un seul territoire déplacé. J'attends qu'il y ait le feu. La folie totale. La couleur.

Dans la chambre, je voyais le ciel se déposer sur moi au rythme de mes battements, au rythme des palpitations. Le corps s'alourdit. Retenu. Attaché. L'âne des nuits, maître des cauchemars, s'assied sur ma poitrine. Les yeux ouverts. Le corps immobile. Le roc d'amertume s'est approché de moi. Il fallait s'y cogner. A quoi bon ? Mes nuits ont l'avantage d'être courtes.

Pour échapper à l'âne des nuits, je sortis.

La première femme que je rencontrerai, je lui dirai...

Elles me renvoyaient, l'une après l'autre, mon sourire dans un kleenex en boule mouillé. Je ramassais le refus et continuais mon chemin (quel chemin ? je n'en avais pas précisément). Je lui dirai... Elle me dira... Et nos mains se frôleront comme dans une image. Au fond de moi j'entendais la voix d'un compatriote : « Avec la gueule que nous avons, nous sommes bons pour la reproduction, non pour la caresse ; alors rentrons dans nos cages, rentrons dans nos tiroirs honteux, et contentons-nous de nos images, belles, faciles, commodes... Une image a l'avantage d'être muette, toujours disponible ; c'est rassurant... »

La nuit faisait ses plis dans ma peau tendue, une peau bonne à tanner. Je partais dans les rues animées et me mêlais à la foule. Je voulais être de cette foule. Je désirais au fond de moi être le témoin d'un drame ou d'un événement important. Le seul témoin. Celui qui serait chargé d'informer les Français sur la couleur des yeux du bandit. Il m'aurait rencontré dans une pissotière et m'aurait fait des confidences. On viendrait m'interroger sur sa taille, ses cheveux, sa voix. On viendrait m'écouter, prendre des notes. On me solliciterait de partout. Je répondrais des choses fausses. Je donnerais à la police des indications contradictoires et je demanderais une bière de temps en temps. Ce n'est pas tant de désir de figurer dans les journaux que le désir d'exister autrement qu'une chaussette trouée.

Ces idées allaient et venaient comme une balle entre mes mains. Je changeais souvent de trottoir et je souriais à qui voulait bien me regarder.

Demain je raconterai tout à l'image. Elle sera douce et tendre.

L'idée d'exister autrement me hantait.

Entrer dans un café, par exemple ; les gens me regarderaient, me parleraient, me toucheraient (pas pour me faire mal, pas pour se débarrasser de moi dans un éclat de violence, par pour vider un chargeur de pistolet mitrailleur sur ma silhouette quelque peu brune, agaçante et différente, pas pour l'injure et la gifle) pour échanger avec moi des mots banals, simples, quotidiens ; échanger des photos, peut-être des notes de musique, nos adresses, nos rêves...

C'était un bistrot où on servait de grandes tasses de désolation, de lassitude et de tristesse ; de la bière à la pression et du vin ordinaire. C'était un dimanche matin ; le moment suprême du tiercé et des combinaisons bourrées de rêves petits et courts. J'étais bien habillé.

« Mesdames, Messieurs, je vais vous chanter un chant de mon pays, un poème de mon village. C'est beau ! Vous verrez comme c'est beau ! Ecoutez-moi, ça ne vous coûtera rien... »

Dans le bruit général (bruit de caisse ; insolence des voitures) j'entamai mon chant :

Une gazelle court dans mes rêves
Elle court et je suis fou
Je suis plein de foin et d'automne
Fragile elle va vers l'étoile qui danse...

Les mots s'évanouissaient en moi. Je sortis du bistrot à reculons, comme un voleur.

Toute la nuit j'ai marché sur un mur chancelant. En cette nuit, tout avait éclaté entre mes mains. Je tombais en chute libre sur un tas de grosses pierres. On me ramassait dans une couverture militaire et on me remettait sur le haut du mur. Je marchais encore un peu, je titubais et rechutais.

Je me retournais sur ma paillasse qui connaissait tout de mon corps et de mes misères. (Ce sera une pièce à conviction ; un objet à interroger ; un objet à décrypter). Elle collait à ma peau et rythmait mes rêves, mes insomnies, mes frustrations, mes manques et ma folie. Que de fois j'y ai frotté ma verge nerveuse. Il manquait à cette paillasse une âme. Un jour, il va falloir y mettre le feu. Il faut que cette misère parte en fumée et que les cendres soient jetées dans un autre pays, un autre continent. Faites-le pour moi, si le destin me sépare violemment d'elle.

Je ne sais pas aujourd'hui si je rêve encore où si je me souviens. C'était l'hiver. Nous étions tous les quatre dans la chambre. Assis au bord du lit. Le blond aux yeux marron dessinait avec du fil et une aiguille des petits cercles sur son pantalon. Le brun aux yeux rieurs classait des photos de famille dans un album en plastique. Le troisième, abruti par les calmants, avait les yeux vagues et s'absentait discrètement. Moi je regardais le mur.

Les bruits du dehors ne nous parvenaient plus. On n'entendait plus rien ; c'était comme si on avait insonorisé la chambre, ou qu'on l'eût déplacée vers un lieu désert, isolé du monde.

On a tiré la chasse d'eau au fond du couloir. Le bruit est de retour. Le rire saccadé de la chasse nous rappela au présent. On se regarda. Une odeur d'urine et de mauvais parfum inonda la chambre qu'on croyait isolée.

« C'est le printemps quelque part... », dit le blond.

« C'est l'heure de la prière, dit le brun, mais j'ai envie de faire mes ablutions avec du vin et de dire au ciel ma perte et ma colère... »

« J'aime ses cheveux bouclés... », dit le troisième.

Je me levai et passai la main sur la fente dans le mur.

Et ceux qui, mes semblables dépossédés de leur parole, de leur âme, se détachent de la vie
et
sombrent...

De temps en temps un petit événement extérieur venait perturber l'acier paisible de nos malles.

C'était un jeune homme avec une petite valise noire (ou un gros cartable, je ne sais plus). Bien habillé. Une chemise bleue. Une cravate grise. Il fumait des cigarettes du pays et parlait en souriant. Ou plutôt il avait des tics. Un rictus peut-être. On lui avait aménagé une espèce de bureau dans l'entrée de la cité. Le gardien passait nous avertir : La Banque ! La Banque ! Le jeune homme avait déjà commencé son discours :

> *Sécurité... Allah... Deux hectares... Populaire... Le peuple... L'argent... Allah... Deux millions... Le blé... L'épicerie... La France... Cinq pour cent... Populaire... Le couteau ouvre le matelas... Allah... Populaire... Sous l'oreiller... Sécurité... Assurance... Le pétrole... La crise... L'argent... L'olivier... Signature... Le pouce... Chèque... Bon... Provision... Carte bleue... Dimanche... Mandat... Consulat... Hectares...*

Les mots me parvenaient au premier étage. Les compatriotes m'ont expliqué qu'en déposant ma vie à la banque, je n'aurais plus de souci.

Quand le jeune homme ouvrit son cartable pour enregistrer les premières inscriptions, un petit singe en surgit, les yeux peints. Un singe travesti. C'était marrant. Les papiers volèrent dans tous les sens comme des moineaux libérés. C'était un éclat de rire. Les liasses de billets de banque prirent feu. Les pompiers appelés par le gérant étaient déjà sur place. Ils versèrent de l'eau et un peu de lait partout. Le compatriote qui avait mal dans la tête se précipita dans l'escalier, nu, pour prendre une douche gratuite. Le jeune homme pleurait. Des millions partis en fumée. Son cartable devait être piégé par une banque concurrente. Vers midi, le calme était revenu et chacun reprit son coin.

Fêlées, mes illusions.

Le jour s'est mêlé à la sueur de mon corps et je doute. Je suis amer.

Je suis venu dans ton pays sur la pointe du cœur, expulsé du mien, un peu volontairement, beaucoup par besoin. Je suis venu, nous sommes venus pour gagner notre vie, pour sauvegarder notre mort, gagner le futur de nos enfants, l'avenir de nos ans déjà fatigués, gagner une postérité qui ne nous ferait pas honte. Ton pays, je ne le connaissais pas. C'est une image, un bol d'encens, un mirage je crois, mais sans soleil. Mon pays, tes patrons le connaissent bien. Ils ont cultivé sa terre, la meilleure, la plus fertile ; et même quand la terre résistait, quand l'arbre résistait, ils y pratiquaient la blessure, avec méthode, avec calme. Ma terre comme ma mémoire a vécu sans cadastre. Nubile et tendre. Le soleil labourait nos corps. Nos enfants devaient travailler. On ne disait rien. On se taisait. L'eau coulait dans nos veines et on vous donnait le sang. Les enfants des notables fréquentaient les écoles bien, des écoles franco-musulmanes... Dépossédés de notre terre, on nous voulait aussi dépossédés de notre corps, de notre vie. Il y a eu la guerre. Chose facile à résumer aujourd'hui en quelques mots. La guerre. Des machines perfectionnées, sophistiquées envahissaient nos foyers. La mort. Quotidienne. Sur un cheval qui vomissait. Je ne sais pas, camarade, de quel côté tu étais. Peu importe. Nos corps sont aujourd'hui tatoués par tant de questions. C'est vrai, il y a eu des étoiles sur le front des enfants. Le ciel s'est mêlé à la terre. La foudre entre nos mains. La rage et les bribes de la démence dans la bouche du crapaud. L'histoire a regagné les livres, et nous entamions une autre détresse. Le voyage avec une valise pour tout bagage, une vieille valise entourée de ficelle où on mit quelques vêtements de laine, les éclats de la foudre, la photo des enfants, une casserole, quelques olives et une espérance grosse comme notre mémoire, un peu aveugle et lourde. Nous sommes arrivés ici par fournées avec un chant fou dans la tête, un chant retenu et déjà la nostalgie et les écailles du rêve. Au loin la flûte murmurait. Sur les paysages humains, il y avait un voile, un ciel d'acier, et dans ce ciel des trous petits et grands, profonds et transparents. Dure la fêlure. Vivre, la tête enfouie dans le corps. Survivre entre l'usine ou le chantier et les morceaux du rêve, notre nourriture, notre demeure. Dure l'exclusion. Rare la parole. Rare la main tendue.

Le sang a giclé, camarade. Mais tu as détourné la tête. Non pas parce que la vue du sang t'effraie, mais parce que tu as autre chose à faire ; tu sors à peine de la misère d'antan, tu refuses de regarder derrière toi. Tu as marché sur ce corps. Tu l'as enjambé.

Les intellectuels signèrent des pétitions. Tu as regardé la télévision. D'autres criaient « Même patron, même combat ! »

Les trous dans le ciel, c'est pour l'ironie. Mais quand nous nous enfermons dans ces bars tristes (on dit qu'ils sont sordides) pour boire, ce n'est pas pour oublier, mais pour nous donner l'impression à nous-mêmes d'exister un peu. Nous nous retrouvons, des miroirs avec quelques brisures. La tristesse, c'est ça, camarade. Des corps qui se fêlent. Des corps pleins de cendre. Au fond, tout à fait au fond, il y a du feu.

Quand ce feu tremble nous savons que le jour est proche. Tu vois, nous préférons la nuit. Elle nous tient compagnie et éloigne de nous le gouffre. Elle défait notre lassitude et nous emplit de petits cristaux. Tu me diras (pourvu que tu me parles) que le vertige est facile et que le combat est ailleurs.

Nous nous enfonçons un peu plus chaque jour dans l'ombre, à la recherche d'une flamme...

Il y a un creuset entre la pierre et le sommeil où viennent se poser...

Il y a des jours (des nuits plutôt) où l'image s'absente. Elle quitte la malle tout en laissant traîner derrière elle un voile, un parfum. Ma main caresse ma poitrine froide quand elle n'écrase pas ma verge molle.

Il a fallu passer par ces moments durs pour en arriver à décider froidement d'abattre cette femme.

Qui m'écoutera à présent ?

Qui saura que ma blessure est une grande fêlure du ciel, fermée sur les mots que je destinais à l'ombre ? Aujourd'hui les mots tombent dans une tristesse sans limite. Quand je dis la solitude, je ne tords pas le cou à l'évidence (après tout, quelle différence y a-t-il entre moi l'expatrié et l'Autre, celui qui ferme sa porte, celui séparé de la vie, celle qui s'offusque devant le désir de l'émigré parce qu'il lui ressemble trop pour qu'elle accepte d'être sa putain durant quelques minutes ?) ; je ne fais que piétiner la terre de ce pays où j'ai accroché mes testicules.

Vous le saviez peut-être ; ou vous le saurez maintenant : je passe le temps dit de repos à faire des plans pour la démence, pour que le cri soit retenu dans ce corps, pour que le suicide ne vienne pas après un accès de fièvre, pour que la mort, entamée depuis le temps, ne soit pas un simple accident du travail.

Savez-vous à propos que l'accident du travail, ça n'existe pas ? Oui, notre mort, nous la portons en nous à partir du moment où on nous arrache à la forêt. Quand dans un chantier un expatrié fait une chute libre, ce n'est pas un accident du travail, c'est quelque chose comme un meurtre prémédité par l'Abstrait. Toujours à propos : savez-vous que nous sommes immortels ? Vous ne nous croyez pas ! Et pourtant, quand un homme expatrié est abattu par l'Abstrait (il peut glisser sur une peau de banane, ou recevoir une balle par hasard, ou tout simplement subir un choc et mourir de peur comme Yasmina ou Malika la petite, morte de peur dans un commissariat), donc quand il y a mort, personne n'y croit. Rien n'est prévu dans ces cas-là. Comment est-ce possible ? Des hommes choisis dans la force de l'âge ne peuvent mourir que d'usure ! Or l'usure est prévue dans le pays d'origine. Rien n'est prévu pour rapatrier le corps. Alors les compatriotes se cotisent pour payer les huit cent mille francs anciens des frais de rapatriement. La mort n'est pas prévue dans le contrat de travail. C'est du domaine de l'Abstrait. Des fois, le corps est enveloppé dans une couverture et enterré quelque part. La suite, personne ne veut la connaître.

Ecoutez : je ne cherche pas à vous faire honte. La morale ça ne sort personne de la fosse commune. Seulement, sachez que nous pouvons avoir le même linceul.

Mon imagination fait que je glisse doucement, et chaque jour davantage, vers un champ au-delà des mots, où l'illusion donne la fièvre, où le néant est une bourrasque qui danse sur la pointe de la fièvre. J'invente un champ planté de jolies robes, un champ où gisent quelques étoiles indignes de la foudre ; pâles, elles sont la grimace de la terre. Un champ sans tendresse. Mais qui parle de tendresse ? Je n'en connais que le goût amer...

La légende moderne dit que nous sommes incapables de tendresse, car notre sexe démesuré nous monte à la tête et fait notre malheur...

Alors, restons ce corps cassé qui ne dit pas le malheur mais qui regarde le ciel et se souvient de la forêt décimée. Nous sommes un pays déboisé de ses hommes. Des arbres arrachés à la terre, comptabilisés et envoyés au froid. Quand nous arrivons en France, nos branches ne sont plus lourdes ; les feuilles sont légères ; elles sont mortes. Nos racines sont sèches et nous n'avons pas soif.

Si je nous compare à un arbre, c'est parce

que tout tend à mourir en nous et la sève ne coule plus. Tout le monde trouve « normal » ce déboisement sélectif. Mais que peut un arbre arraché à l'aube de sa vie ? Que peut un corps étranger dans une terre fatiguée?

Les technocrates de chez nous jonglent avec l'Abstrait. Quant à notre sang, mêlé à la cendre, il dit l'histoire suspendue. Le silence suffit. Les mots en grappe tombent. C'est le rire de l'arbre.

Il nous reste le pouvoir de rire. Et nous rions aux éclats. Mais ça fait peur...

Quand la forêt avance, la fuite est inutile, surtout quand on est soi-même un arbre.

Au commissariat.

Elle est morte.

Tuée.

Mes mains.

Son sang sur mon corps, entre mes doigts.

Sa chevelure mêlée à l'étoile traînait dans mes souvenirs qui allaient plus vite que le vent de mon pays.

Ses mains ont creusé des sillons dans la lèpre du mur, et ses yeux, des diamants descendant ses joues vers un abîme que je n'ai pas imaginé.

Sa voix venue d'ailleurs, d'une prairie peut-être ou d'un champ foudroyé. Elle disait :

Ne m'enferme pas dans des rêves pauvres, dans des rêves mesquins et indignes de ta bonté ; ne me laisse pas mourir de honte quand tu vénères mon image, chante et hurle la vie captive dans ce corps. Notre amour a pris quelque chose au ciel maudit de la solitude ; alors la mort est de ce ciel et si tu veux la donner, que ce soit un matin haut dans la pierre. Ne la donne pas dans la détresse et les larmes, et qu'elle soit un éclair de rire, de sang et de sperme. Tu sais, tu m'as faite image, femme en papier, étoile indigne du ciel lacté ; alors, garde les larmes pour les cœurs mendiants, pour les mains qui tremblent et pour l'arbre fatigué. Tu es arrivé dans l'ombre de ma vie comme un enfant en retard d'une tendresse. Je te savais fou jouant avec le spectre de la mort. Je te savais une image pleine d'absence, un verbe difficile à prononcer, une erreur à ne pas nommer. J'ai couru dans les closeries de ta mémoire qui se répétait, qui tournait sur la place publique ; tu m'as attrapée comme on attrape un mal. C'est vrai, tu as eu mal au ventre et la fièvre montait sur ton front. Tu avais peur du châtiment. Je suis un péché. Tu ne savais plus te prosterner pour prier. Alors tu te prosternais devant moi et tu demandais à Dieu et au Diable d'oublier l'hérésie du geste et du verbe. Tu me parlais de ces plaques de fer rougies par le feu sur lesquelles tu devrais faire toutes tes prières, et ta peau se collerait à la braise éternelle et ton corps disparaîtrait dans les flammes pour renaître dans des jarres d'eau bouillante. L'enfer te poursuivait ; j'étais le rire qui te ramenait à la vie. Tu savais que mon corps tapissait les murs d'autres solitudes : ceux des hommes enfermés, séparés de la vie dans des cellules plus étroites qu'un cercueil (tu me parlais d'une voix lointaine, celle d'un poète : sa rage, ils l'ont dissoute dans un bain d'eau électrifiée ; sa peau colle aujourd'hui à la pierre ; sa nuit est peuplée d'images fatiguées) ; ceux des adolescents qui mordent dans le sable et écrasent leur sexe dans la peur et la honte ; ceux des fous dont on empaille le corps car la raison l'a déserté, et puis il y a toi et tes semblables. Toute une forêt arrachée à sa terre. Visages d'airain et paroles murmurées, vous circulez entre les murs. Transparents, qui vous regarde ? Quelques nuages et de temps en temps un oiseau égaré. Toi tu as su plus que m'inventer, tu m'as adoptée moi qui n'étais qu'une image tirée à un million d'exemplaires. Une image froissée, transportée de continent en continent, de cellule en foyer, de chapelle en mosquée. Tu as d'abord cherché à détruire toutes les images qui t'échappaient. Tu passais dans les couloirs du métro et tu jetais des seaux d'encre sur ce corps plus grand que nature. Tu passais des nuits dans ces couloirs ; sur ces quais lamentables avec ta folie pliée dans ta poche, froissée dans ton cœur. La couleur dégoulinait sur les bancs où tu t'endormais par fatigue, par lassitude, mais jamais par désespoir. Je te savais encore plus fou quand le matin tu rentrais chez toi par le premier train, tu te lavais et partais au travail comme si la nuit ne t'obsédait pas, comme si la nuit n'avait fait que glisser sur ta peau. Ta vie s'insinuait ailleurs, dans le souvenir d'une voix, dans la douceur d'un geste, le souvenir d'une caresse. Et moi j'aimais ce tissu de rêve qui se déroulait dans la chambre. Tu m'enroulais dans des étoffes légères et fleuries. Moi qui ne fus qu'un nuage, une herbe gardée entre deux pages, je t'ai fait comme on fait un pain, je t'ai fait encore plus fou, encore plus heureux, le jour où je suis descendue de l'image accrochée.

Je sortis du mur sans rien détacher, sans rien casser et je vins me blottir dans ton corps chaud. Tu dormais et tu croyais que j'étais chose évanouie dans le jardin de ton enfance, tu dormais et caressais ton sexe. Je me suis posée sur toi comme un voile et j'ai baisé tes mains. Tes doigts s'écartaient et s'enroulaient dans mes cheveux. Je n'avais pas fermé la fenêtre. Il faisait froid quelque part, je voyageais sur ton corps qui s'ouvrait à mes caresses. Je savais que tu étais gêné, toi l'homme, toi un champ viril, tu ne supportais pas qu'une femme te fît l'amour, fût-elle irréelle. Dans ton rêve tu essayais de me renverser, car nous étions dans un pré où le blé était haut porté. Je te pénétrais avec élégance et tu murmurais quel-

ques bribes du réel. Quel chant, cette fissure dans le mur ! Quelle tendresse s'échappait des couvertures, car il faisait froid et les draps froissés se ramassaient au creux du lit. Quand tu jouissais, un cri profond, très profond, sortait de ton ventre. C'était un rire, un chant et des larmes. Mes lèvres venaient cueillir sous le gland la dernière goutte, la dernière perle de sperme. C'est cette goutte lourde, tiède et un peu fatiguée qui, lorsqu'elle descendait dans ma gorge, me permettait d'empoigner le soleil. Après tu m'as fait l'amour et ainsi tu donnas la vie qui manquait à cette image.

Au réveil tu te caressais encore un peu et tu te levais, tu ramassais l'amertume étalée dans la chambre et le couloir. Tu t'en allais à ton travail, et moi je rejoignais le mur, les murs.

Je partais au chantier en boitant. Mes mains creusaient un puits, une porte dans mon ventre. La tête lourde, je trébuchais. J'étais assailli de questions par les pierres que je devais transporter. Ma journée se passait dans un vague terne et je sentais mon corps rempli de coton et de feuilles sèches. Je marchais au milieu de la rue. Je traversais les passants et les voitures. J'étais devenu une transparence, un champ en papier que le vent emportait. Je m'accrochais aux lampadaires et m'enroulais autour des fils qui séparaient la terre du ciel. Le ciel de la ville métallique était un ciel d'ironie. Il se penchait et me donnait le bras. Les étoiles ne filaient pas et les nuages se désintéressaient de mon sort. Alors je me cognais contre les objets, contre les portes, contre le front des nuages. J'étais mouillé et je roulais, boule de papier journal dans les caniveaux.

Le soir, le désordre se perdait dans les égouts, et je rentrais à la cage après avoir acheté un bouquet de menthe.

Debout sur mon rêve je regardais venir la nuit. Des pierres prémonitoires s'entassaient à l'horizon. Et ma main s'accrochait à l'image ; en bas il y avait le vide. Mon cœur vacillait. C'était un parfum de la nostalgie. C'était le frisson de l'exil.

Aujourd'hui je le sais. La mort a habité ma cage, mes tempes et mes reins. Moi, habité par la mort, j'étais tenté, sans être vraiment décidé à la donner, de la partager comme on partage une jouissance, un cri. Après tout, je l'ai vue naître, cette fille, je voulais la voir mourir entre mes doigts, baignée de mes larmes heureuses.

J'ai fait du thé à la menthe pour elle et pour moi. J'ai bu plusieurs verres et attendu son retour. Je fumais des cigares pour lire dans la fumée. J'étais enroulé de vertige et je sentais mon lit s'affaisser de plus en plus. Il creusait le sol. Je devenais raide et froid ; je m'enfonçais dans ce lit de terre. J'ai eu peur de mourir. Mourir seul. (Mes compagnons étaient de l'équipe de nuit.) Mourir dans ce pays ! Cette idée me saisit à la gorge. Je me levai alors et allai me cogner contre le mur. L'image accrochée s'est un peu déchirée, mais personne n'en est sorti. Dans la gamelle, il y avait encore des pommes de terre à l'ail et au cumin. Je les avalai machinalement et remis le lit sur pied. Le cumin me fit rêver et ma nuit se passa sans que personne vînt me déranger.

Se faire aimer. D'elle ou de l'autre.

Un brin d'ombre sur mon visage.

Une étoile perdue entre le rêve et la main froide.

Se faire aimer et voir naître la tendresse d'un arbre qui gouverne avec ses branches.

Je suis l'arbre et la caresse.

Je suis l'œil de l'arbre dressé dans la nuit où mon corps mendie le toucher d'un regard, le toucher d'une main.

Etre aimé de l'herbe, d'un chameau ou d'une gazelle. Je ne te chasserai pas dans mes territoires. Je te donnerai à boire du fond de ma folie. J'ai du miel au fond des yeux. J'ai de l'huile d'argan dans mes phrases. J'ai des figues dans mes silences éclatés. Viens de la terre ou d'un simple nuage peint. Viens du ventre de la chamelle ou d'un conte dit le soir des dunes. Viens sur la nacelle que j'ai dessinée. La mer sera tendre, faite de sentiers légers et d'écume bleue.

L'insomnie d'hiver me sépare de toi. Ma tête se pose sur une botte de foin. Elle est légère et pâle. J'attends le vent qui l'emportera. Mon rivage n'a pas d'horizon. Il se couche sur la route gardée par les serpents. La douleur regagne un ciel saigné. Elle me libère à l'aube. Des nuages s'agenouillent. Et toutes les images envahissent le lit, laissées par la nuit qui s'est retirée, surprise par un matin d'urgence.

Elle me disait aussi :

Nous sommes pris entre les doigts de la fièvre et de la mort. Alors cesse de raconter ta douleur et dis-moi d'où tu viens...

Je suis né près d'un ruisseau, au cours d'eau hérité. Tôt mêlé à la terre grise, je jouais avec les pierres. Je ne connaissais de la ville que la rumeur, et le ciel n'était pour moi qu'un voile peuplé de nuages.

Je viens d'un territoire planté de soleils et d'arbustes sauvages. Mes parents l'ont quitté pour aller à la ville. Un corps fermé sur des blessures. Jamais nommées. J'ai traîné dans la poussière et l'illusion. J'avais du sang sur les genoux. Mes cheveux étaient bouclés par la nuit. J'avançais dans les rues et les places à la recherche de l'olivier et du ruisseau. J'ai tout inventé : les pierres, la maison, le chant et l'oiseau mon ami.

Ma vie ce fut d'abord un terrain vague où s'amoncelaient les déchets et le désespoir d'hommes et d'enfants qui ne savaient pas où aller. Je ne comprenais rien à ce qui arrivait. Je passais. Dans les ruelles. Les maisons. Les terrasses. Je dormais n'importe où et mes rêves cassaient les pierres de l'insomnie.

Ma vie fut courte.

A la mesure de la terre désolée.

Puis vint l'appel de la fortune et de l'exil. J'ai mis beaucoup de temps à courir avant de pouvoir partir. Je signais partout. Je laissais mes empreintes digitales et un peu de mon sang. Tout était classé.

De ma demeure (inexistante mais imaginaire) à l'exil, il s'est passé des choses et un taureau.

La fortune, quelle blague !

L'exil, quelle détresse aux cheveux longs et aux grands yeux noirs ! J'ai marché le long de ces grands yeux ; j'ai vécu sur leur bord, entre les cils et la larme. J'ai fait des voyages dans des regards vides (vidés) et me suis arrêté le jour où l'imaginaire prit feu. C'est long à dire. C'est dur à raconter.

Ne me demande pas pourquoi je suis ici, sur une terre ferme et de nouveau désolée. Prends-moi la main et passe-la sur tes seins, sur ton ventre, dans la toison tiède de ton sexe. Mon pays est de cette main. Prends ses doigts dans ta bouche et goûte le sel de ma terre.

Si je m'endors, c'est que le ciel m'a tendu un bras. Alors ne dis rien. Accroche-toi à mon sommeil. Ecarte cette branche collée sur mon front et baise mes lèvres. Elles sont sèches. Elles ont soif. Donne-moi à boire de ta bouche perlée. J'y ai déposé quelques diamants au temps de la saison brève. Viens. Pousse cette porte, là, dans le côté droit de ma poitrine. Laisse ta robe de mousseline sous l'arbre et entre sur la pointe des étoiles. Dis-moi si ce paysage est jardin ou forêt négligée. Dis-moi si les animaux sont colorés, si les enfants sont travestis. Dis-moi si je porte en moi assez de tombes et assez de places publiques. Raconte-moi la foule. On me dit qu'elle est abrutie par le travail et la chaleur. Qui est cet homme pressé qui s'enfuit avec une petite fille sous le bras ? Et cet autre qu'on ne voit pas mais dont on entend les cris de souffrance ? Lui aussi a les yeux bandés dans une cave. Quel est ce territoire où le corps est écorché, l'œil fendu et le sang retenu ?

Je sais, c'est trop de questions, mais avance et tu découvriras dans ce corps — si tu sais lire — les nuits et silences de tout un peuple.

Avance jusqu'au ruisseau et lis dans son

miroir. Dis-moi le chant à venir et l'erreur chargée sur un âne.

Que conte l'eau à ce corps pur qui n'a été mêlé à aucun mensonge ? Il paraît que les anges sont visibles à la pleine lune. Ils savent tout. C'est notre mémoire. Pourrai-je te garder prisonnière dans ce corps jusqu'à la pleine lune ?

Que dit l'âne au chameau, la gazelle au nénuphar, le diamant à ce morceau de ciel ?

Ferme cette porte derrière toi.

Je t'entends.

Parle. Chante.

Pour l'instant je ne peux rien raconter. J'ai vu tellement de choses, j'ai rencontré tellement d'hommes et de femmes séparés du soleil et du vent, enchaînés dans des cellules en verre... J'ai honte d'en parler dans un livre... Et pourtant il faut qu'on sache...

Ecoute la voix du plus jeune :

J'ai cru possible la révolution dans mon pays. J'avais lu des livres et j'avais vécu le désespoir des gens pauvres, démunis, oubliés par le soleil, des gens oubliés de Dieu. Ils ne vivaient pas dans les murailles de la ville. Ils s'accrochaient à un bout de terre et à quelques arbustes. Ils étaient prêts à mourir pour garder leur part d'eau. Mais ils n'avaient pas d'armes, et n'importe quel chef boutonné pouvait les menacer. Ils avaient peur de faire de la politique. Ils voulaient se défendre mais ne savaient pas comment. Passifs et silencieux, ils voulaient mourir avec la terre que le Chef boutonné privait d'eau. Le grand-père priait. La grand-mère pleurait. Les enfants jouaient avec les pierres. Les autres retenaient leur rage. J'ai parlé avec eux. Nous étions quelques-uns à vouloir les aider, à vouloir les organiser, car on retrouvait la même situation un peu partout dans la région. L'eau, toute l'eau était détournée vers les terres de l'industriel. Il venait une fois par mois voir si tout allait bien. Un jour, il ne vint pas seul. Des éléments de la gendarmerie l'accompagnaient. Il dit au Chef de rassembler les familles. Son discours commença par quelques versets du Coran puis il enchaîna : « J'ai besoin de vos terres ; je suis en train de mettre sur pied un projet de développement qui va donner du travail à chacun d'entre vous et en finir avec la misère et le Moyen Age. J'ai avec moi mon comptable. Il va vous indemniser. Je vous in-

vite tous après la prière de midi à un grand couscous. Que Dieu... » Au début on lança des pierres. Après je vis des hommes déterrer des fusils. Des coups de feu partirent de tous les côtés. Je n'ai jamais su combien de morts il y eut...

C'était le plus jeune. Les cheveux bouclés. Le rire tendre et l'espoir fou dans les yeux. Ses rêves sont beaux. Ils chantent encore le matin entre ses doigts.

Et toi tu restes là, fermé sur tant de blessures, fermé sur ta mort. Je suis ivre de cette mort, ivre de ce paysage vierge, cet arrière-pays où le temps n'est plus. Je comprends pourquoi la haine des autres glissait sur ta peau et l'indifférence passait à côté de ta main. Je cours dans ce jardin, folle des couleurs et des arbres chargés de souvenirs et de visages. Tout me parle et je ne sais quoi dire. Je ne suis pas de ce monde. Je suis indigne de ce chant. Je ne suis qu'une image, une putain tirée à un million d'exemplaires. J'ai peur de salir les pierres de marbre blanc, j'ai peur que mes cheveux ne tombent de honte. J'ai honte et ne veux pas pleurer. Je suis portée par la tendresse des chevaux peints et je m'enivre. Je me perds dans la chair de ta mémoire meurtrie gardienne d'autres mémoires vivantes mais muselées dans la pierre froide des caves. Je me perds dans un tourbillon d'images et de feuilles. Cet enfant maquillé porte une jolie robe, et cette fille nue, avec ses seins naissants, marche sur l'eau paisible. Le chameau porte le soleil et rit du temps.

Ma mémoire se vide. Je n'ai pas de légende à raconter. Garde-moi en toi, dans l'ombre étale, vertige enfoui dans ton souffle, feuille plantée dans le mystère. Ma jubilation me porte sur des vagues ondulées.

Depuis que j'ai bu cette sève, j'ai appris à ne plus être une image, une feuille froissée pour apaiser des désirs, pour tromper la jouissance. Je n'ai pas d'âme. Je boite dans mon infirmité avec l'insolence d'un cœur vidé, d'un corps fardé.

Je suis devenue fureur précoce et tu me tiens dans tes entrailles, toi l'émigré, l'astre exilé, le petit bout de différence qui fait rager les imbéciles, qui fait fuir les vieilles peaux, qui court plus vite qu'une balle dans les têtes nostalgiques. Ah, ces temps où le crime était chose sérieuse, puisé dans les méandres de la Raison, dans la vérole de l'Histoire ! Tu marches dans la rue, et cela suffit pour que la muraille s'ouvre et que ses pierres s'effritent. On a lancé derrière toi des chiens et quelques chats. Tu traverses la place et tu fais la roue. C'est ton rire qui incarne ton double, et tu t'endors avec le sourire sur un banc, dans le jardin d'hiver.

Laisse-moi vivre encore séparée du monde, écartée du besoin, rapprochée du ciel que tu tiens entre tes mains.

J'aurais pu être dans une autre arène : militer comme on dit pour ou avec les travailleurs émigrés ; crier l'injustice, la nommer, la détailler, fournir des chiffres. J'aurais pu faire des choses utiles, j'aurais pu être une autre. Mais on ne se serait jamais connus.

Comment vivre hors de ce vertige si tu m'abandonnais, si tu me rendais à ce mur ? Comment te dire, bien qu'exilée moi-même : je n'ai pas de pays à l'intérieur ? Je n'existe même pas, alors comment avoir de résidence secondaire derrière mon image ? Alors garde-moi en toi. Ne me livre pas à la lumière. Ne m'abandonne pas au réel. Reste cette terre enceinte de mon corps. Nous vivrons à deux et tu seras seul. Tu me porteras en toi ; je me ferai légère, légère... transparente ou alors une toute petite chose qui ferait de la musique quand tu te donnes ailleurs, au travail, dans les rues encombrées.

La réclusion solitaire

J'ai encore des récits à te transmettre : Moha le fou qui s'est mis à raconter l'histoire de ton pays autrement qu'elle n'est racontée dans les livres...

Quelque part dans le territoire de mes insomnies, une ombre passe. C'est ma mère.

J'ai l'impression que les gens ne croient pas à mon histoire. Et pourtant je souffre et ne sais plus où aller avec le vide depuis que de mes mains j'ai étranglé l'image. Du fond de ma cellule je continue de lui envoyer des télégrammes, des messages.

Toi, la larme que le nuage bleu déposa sur l'horizon, où es-tu ? Je t'ai vue naître et grandir dans le champ de mes pensées. Tu chantais joliment faux l'aube entre mes mains. J'oubliais l'usine, la fatigue. Le regard des autres touchait à peine ma peau. J'étais devenu tout petit. Je marchais sur la tête pour te dire la folie ; nous avons ri. Les miroirs ont dansé sur nos corps. L'œil mouillé descend sur la joue, enroulé dans un ruban mauve. Ce fut là mon sanglot, lourd et entier. Ce sanglot séparé de mon corps est une boule de larmes solidaires qui emportent l'œil et la peine. Pierres taillées par le temps. L'orbite lavée se remplit de rires qui se bousculent pour me donner la joie qui manque ; l'herbe douce pousse sur les bras.

Ecoute-moi encore un soleil ou un quartier de lune. Ecoute ma hantise, tissu de la nuit ; écoute la peine qui éclate en petits morceaux de rire et de chants. Le travail me sépare de la vie ; la nuit m'exclut du songe.

A présent, je ne sais quelle détresse choisir.

Expatrié et cent fois exclu de moi-même par décision absolue et suprême (l'Ordre de l'Abstrait), j'ai égaré mon âme (tu sais, ce souffle de vie qui palpite), j'ai perdu mon âme comme une ville perd ses habitants. Je suis un amas de pierres et de béton, et quand je tremble, mon crâne s'effrite, mon crâne plein de sable vacille et ne sait plus où se poser.

C'est le sang de l'exil qui me dicte ces syllabes. Je ne sais pas si elles te parviendront. Je reste lucide. Oui, ma lucidité voyage sur un âne qui ne s'arrête que pour boire. Le regard de l'âne — bien silencieux — cogne de tristesse les cailloux déposés par le jour. La nuit se chargera de les colorer.

Revenons à mon âme. C'est un voile léger qui monte dans le ciel ; il se laissera emporter par la vague. C'est un peu pour cela que je suis fasciné par l'écume. J'en parle beaucoup, je sais, mais j'ai peur, j'ai mal quand la mer efface l'écume.

C'est ainsi que je voyage dans ma malle, dans le territoire sans frontières de mon corps. J'accumule les images et les chants, et je marche sans destin, là, au fond d'une bouteille.

Te souviens-tu avec quelle précision et quelle candeur je m'étais couché dans la bouteille ? Elle était bleue, échappée à la mer, découpée dans le ciel.

Depuis que tu es partie (peut-être morte) ma malle ne cesse de grandir. Elle grandit comme une plante folle. Le mur des voisins s'est fêlé. Ils craignent d'être envahis par cette chose noire, fermée sur quelque blessure, sur un mystère.

Aimante amarante tu t'éloignes du chant et de la mer pour n'être qu'une méprise, un ciel moqueur qui remplit ma malle. Peuplée de légendes, ma vie a le mal du pays. Affolée comme une enfant ivre d'immortalité, elle a les mains lourdes de plantes d'automne et de chagrin.

Il s'agit à présent de vider ce corps rempli de sable, de coton et de thym ; il faudra ensuite l'empailler d'amour et de volupté. Il devra être svelte, fin et délicat. En même temps il devra être dur, tranchant comme la lame d'un poignard. Il ne faut pas rater les yeux, surtout pas les yeux qui seront pris du ciel et sans la moindre larme. Faites-moi les cheveux bouclés, comme ceux de ma prairie, comme ceux de la gazelle qui me donna à boire à Tinghir. La couleur sera changeante, entre la nuit et l'aube. La barbe sera taillée par l'enfant qui se croit ange. Mes bras, faites-les fins, légers mais assez forts pour enlacer la mer. La poitrine devra être protégée, car c'est par là qu'on entre ; elle sera de bronze ; le soleil en s'y reflétant indiquera la direction du temps. Les fesses, laissez-les telles quelles : elles sont belles, peut-être trop musclées, mais n'y touchez pas. Peignez la toison avec du henné et laissez le sexe vivre à sa guise. Les jambes seront celles d'un danseur ou d'un jeune cheval.

Ne faites pas de mon corps une statue pâle et livide. Mais faites-en un chant de volupté et de grâce qui ira de ville en ville chasser la solitude.

N'immatriculez ce corps nulle part. Laissez-le de tous les horizons. Il ne revendique que le rire et l'ivresse de la danse. Sa mémoire devra être apaisée par une plus grande tendresse. Elle parlera peu, par pudeur.

Ni la face cachée du ciel ne sera nommée, ni la géographie du pays dessinée sur les sables.

La nostalgie future me lasse. Ce corps petit et tourmenté s'effiloche. Au lieu de vous conter mon histoire, je vous parle de l'absence ; je vous dis mes manques, mes creux et mes songes. C'est parce que ma vie est ailleurs et que cet ailleurs est fissuré par la tristesse ordinaire que je m'accroche — et vous avec moi — aux pans de la folie et du rêve. Alors suivez-moi et renversez la phrase.

Mais toi tu connais les hommes qui peuplent ma mémoire...

Soustrait au temps et à l'ordre, Moha traverse la foule en récitant les pensées du jour et de l'insomnie. Il tire sur sa barbe : « Malheur à toi, tu devrais rejoindre les compagnons du prophète... Ils t'attendent pour la prière du soir, mais ce qui te retient ici ce sont les taupes, le vagin et les argents... Le soleil m'a dit ce matin qu'il n'aime pas cette foule ; je lui ai dit : j'ai une mort dans le ventre pour ceux-

qui-mentent-qui-se-lavent-et-prient... j'ai égorgé un coq et bu son sang... j'ai mangé de la laine et du foin... Allah est témoin... je regarde le ciel et compte les étoiles... chaque enfant qui meurt c'est une étoile en moins... j'ai perdu beaucoup d'enfants. Ah ! je ris, je meurs de rire et je frappe le sol de mes pieds lourds pour réveiller les justes... Vieille la femme qui m'a tué... La vérité c'est ma chèvre... j'étais dans les mers et j'ai habité dans un poisson énorme... j'étais encore jeune j'ai oublié la vérité dans le ventre du cyclone... Sache ô peuple que je suis un orage... l'argent, trois cent quarante millions d'argent, cinq cents millions d'argent et de miroirs ; vieille la grenouille qui m'a égorgé dans le cimetière... je n'ai rien dans les mains... la justice... Hi han... Hi han... !

Ils achètent tout à crédit : leur âme (une loque), leur corps (gras et faux), ils achètent même leur mort et fouettent les enfants qui annoncent des temps difficiles. Ils viennent par grappes s'accrocher à la ville... ou partent chez les chrétiens, là-bas, loin.

L'argent, partout l'argent, sur le cœur, sur la tête, entre les couilles... des millions d'argent et des villas rouges... et des chiens sur les grilles... des femmes dans les bois... elles sont infidèles et ne se rasent plus le pubis... des femmes ceintes d'or... des fonctionnaires (toujours hauts) dans des voitures... l'histoire de mon pays s'en va dans les festins... la justice ? Hi han ! Hi han ! Malheur à toi ; malheur à vous qui mangez la vie des pauvres...

Moi aussi je viens de loin.

J'ai émigré, comme chacun d'entre vous. J'ai passé des frontières. J'ai laissé des empreintes digitales et autres un peu partout ; dans ma nuque ils ont enfoncé des épingles. C'était une simple question de faciès, de couleur de peau et de portes verrouillées. La fouille à l'entrée du territoire ne leur suffisait pas. Ils nous saupoudraient de mépris et de bêtise. On se laissait faire. Protester, c'était déjà de la provocation. C'était déjà faire de la politique ; être candidat au viol de leurs petites filles ; être un obsédé sexuel ; être un agitateur professionnel ; être chargé de tous les maux et aussi de quelques virus. Alors on regardait ailleurs. On suivait le tracé de la fumée dans le ciel ; on déchiffrait les images ou on jouait avec les moustaches du brigadier.

Je me laissais aller dans des rêvasseries pour ne pas vomir la colère que je broyais en silence.

Je traversais la foule et les murs.

Ce n'est pas vrai que je réussisse toujours à tromper ma solitude. Elle est grosse et têtue. Elle pèse sur mes épaules et tire sur mes paupières. Alors, pour lui échapper, pour la déjouer, pour l'enrouler dans un clin d'œil, pour la dédoubler, non seulement il faut être fort, mais il faut avoir une assez grande réserve d'humour et de sable fin. L'humour n'est pas possible si on n'a pas de sacs de sable posés au seuil de sa vie.

Je ne vous dis rien du reste : le jour pâle, quotidien, bête, plat et sans surprise. Vous devez le savoir, si vous n'êtes pas trop dégueulasses. Vous me rencontrez tous les matins et tous les soirs. Nous nous croisons, syllabes fatiguées, mais vous faites semblant de ne pas me voir. Il m'arrive même — sans le faire exprès ou parfois en faisant exprès — de vous bousculer, de pincer vos fesses molles ou de mordre votre nuque quand on fait la queue quelque part. Vous ne réagissez pas. Vous ne vous demandez même pas quel est ce fou, cet étranger qui se permet des insolences. Je pénètre vos corps et vous ne sentez rien. Je n'existe pas. Vous m'annulez en silence et me tapez dessus quand l'envie vous en prend. Il faut dire qu'elle vous prend souvent. Vous regardez ailleurs quand mes yeux vous fixent et viennent creuser des petits trous dans votre front. Vous vous détournez comme si rien ne vous atteignait. Pourtant votre visage est ravagé par des petits boutons rouges. Vous mettez de la crème sur le visage et pestez. Vous pestez haut et fort. Les gens s'attroupent. Je me faufile et vous laisse entre vous.

C'est vrai, ma vie n'est pas faite que d'images et de fantômes. Mon pays intérieur en a assez de mes incursions fréquentes, rarement neuves, rarement gaies. Même mon pays intérieur se plaint de moi. Il est fatigué. Mes voyages se répètent dans l'enlisement. Les images vont et viennent avec la même nonchalance. Elles ont toutes les cheveux frisés. Quelque chose a dû se détraquer. Mon pays intérieur a besoin d'un peu d'air. Je crains qu'il ne se ferme définitivement, qu'il ne m'exclue de ses champs. Ma réclusion solitaire sera alors de ce monde abject et vomi. Je partirai vivre avec les pierres et les dalles du cimetière. Je n'en suis pas encore là. J'ai foi (eh oui, foi !) en mon pays intérieur. Je disais donc que ma solitude est têtue. Elle a un goût d'amertume et n'aime pas la réclusion facile, la fuite rapide, le recours permanent aux cordes qui pendent dans mon corps.

J'ai parlé à une dame assise dans la salle intérieure et très obscure d'un café (un bistrot en formica). Elle buvait de la bière. Elle avait un manteau bleu et des varices dans les jambes. Ses mains serraient le verre de bière. Son regard roulait dans un linceul de pitié. Il roulait sur les tables. Il glissait sur le formica. Elle me dit : « Viens boire avec moi. » J'avais une cravate rouge et très laide. J'étais rasé et parfumé. J'étais propre et même beau. J'ai bu avec elle. Elle était ivre ou presque ivre. Quel âge pouvait-elle avoir ? Quarante ans ? cinquante ans ? mille ans ? Une boule énorme et lourde, une boule de tristesse pesait sur ses yeux. Elle me prit la main et me dit : « Tu es de l'or, de l'or humain. Qui t'a envoyé ? Dieu ou ma folie ? Tu vas me faire l'amour. Tu sais, ça fait cinq ans qu'un homme ne m'a pas pénétrée. Je ne suis pas laide, mais personne ne me regarde. Je suis transparente. Personne ne se retourne derrière moi. Alors je bois. Toute seule. J'habite avec ma vieille mère. Elle est folle. Alors, mon trésor kabyle, on fait l'amour ? Tu ne dis rien. Tu es gentil. Ecoute (elle me serra très fort le bras), on va à l'hôtel... C'est dimanche, il pleut. Tu viens de loin ? Tu es kabyle ou arabe ? Tu es gentil comme un ange... tu souris... tu me souris, n'est-ce pas ? Bois encore avec moi. Je suis un peu grosse, mais pas laide. Je suis un peu vieille mais pas mauvaise... »

J'avais un sanglot lourd au bord de l'œil.

Mon sexe était froid et sans vie. J'ai offert à la dame des cigarettes et disparu.

L'évidence, c'est la vipère qui tord le cou de la pitié. L'homme descend au fond de lui-même avec sa tête entre les mains et lance le cri étouffé : il y a trop de paille.

Le blond aux yeux marron est
un vent revenu de très loin
il efface mes syllabes

Le blond aux yeux marron, celui qui parlait peu, vint me voir un dimanche et m'invita à prendre un verre avec lui dans un bistrot de la gare du Nord. En route, il me demanda s'il pouvait me parler « entre hommes ». Il s'arrêta et me dit :

— Mon souffle... c'est fini !

— Quoi ? Tu n'es plus capable ?

— Non. Il est froid comme la glace. Mort.

— Depuis quand ?

— Depuis six mois. En sortant de chez elle, je savais... Je savais qu'elle m'avait frappé pour toujours... Elle toussait ; elle toussait fort et s'accrochait à moi ; elle était pâle, atteinte d'un mal inconnu. En sortant j'avais vomi. J'avais un peu honte et beaucoup de pitié pour cette pauvre femme. Je pense à elle tout le temps. Je ne sais pas si elle est encore en vie. Mais depuis, moi ça va pas... rien entre les jambes... et puis cette toux que j'entends encore... et cette chambre à trente francs le coup...

— Tu as vu un médecin ?

— Des médecins. Rien. Aucun résultat. Toujours aussi froid. Je n'ai plus de force. J'ai mal au dos. J'ai mal à la vie. Je vais voir aujourd'hui un guérisseur. C'est un juif de chez nous. Il est dans un café de la gare du Nord.

Il était bien de chez nous. Parlant parfaitement l'arabe, usant des proverbes et des symboles, allant jusqu'à citer des versets du Coran. Il était sympathique et savait nous mettre à l'aise.

— C'est une histoire de l'araignée atteinte dans sa noirceur. Il faut lui répondre par la même noirceur et surtout la même violence. Si elle a pu enchaîner ta vie (montrant le cœur et le sexe), c'est qu'elle a reçu ordre depuis le pays pour te nuire. Il faut extirper de-ton-corps-de-ton-âme les ténèbres qui enchaînent ta force mâle. Ici, nous ne sommes pas au pays, près d'un marabout ou d'un arganier. Alors on va agir avec les moyens du bord (il sort de sa sacoche des piles pour transistor, des piles usées, et se met à tracer des écritures dessus) : Tiens ; il faut boire ces écritures. Dans le pays, je travaillais avec les œufs de vipère. Ici, tout est technique, alors il ne faut pas tourner le dos à la technique. Je continue : quand tu auras dilué ces écritures dans une eau tiède, tu te laveras, et surtout tu te raseras le sexe et les aisselles ; ensuite tu iras à la place Clichy ; là-bas tu trouveras un café marocain ; le patron est un ami, il s'appelle Mokhtar (élu de Dieu et de l'araignée !). Tu lui demanderas du pain rond, des olives noires et de l'huile d'argan. Il te donnera tout ça et ne sois pas impatient. Au moment de régler l'addition, tu lui glisses mille réals, cinq mille francs anciens. Il te dira d'attendre et t'emmènera chez Habiba. Elle a un don, un vrai don, tu verras ; elle a réveillé l'âme la plus endurcie, le sexe le plus endormi. Elle a quelque chose dans les doigts et dans le regard. Elle n'est pas belle, mais elle est jeune et fine. Tu verras, c'est la seule fille de Paris qui a le pubis rasé ! Après tu viendras me revoir. Ne paye pas maintenant, après... après...

On était stupéfaits. Charmés et en même temps perturbés. Le dimanche d'après, j'accompagnai mon copain chez Mokhtar. Tout s'était bien passé. Dans le café, il y avait une ambiance maghrébine assez heureuse. J'attendis mon copain plus de deux heures. Quand il apparut, il était étrange, on eût dit ensorcelé, mais pas mal, pas déçu...

— Elle n'est pas belle, c'est vrai ; elle a des dents en or et de tout petits seins ; elle m'a fait du thé à la menthe et m'a pris la main. Elle était à moitié nue, et moi je suis resté avec mes habits. Elle ne parlait qu'en berbère et me racontait des histoires comme quand on était gosses... Après le thé, elle a baissé la lumière, elle s'est déshabillée et elle m'a longuement caressé, sans jamais me toucher le sexe ; j'étais bien, je le sentais se lever, un peu, pas beaucoup, pas comme avant. Ses doigts écrivaient quelque chose sur ma poitrine nue. Elle a éteint et elle a mis son sexe sur ma poitrine. C'est bizarre. En partant, elle m'a donné une herbe mauve à boire dans de l'eau chaude avant de dormir et un peu d'encens. Je dois revenir dans deux semaines.

Ce premier contact lui fit du bien. En route, je lui parlai de l'image.

— Et quand tu rentres au pays, tu l'emmènes avec toi ?

— Non, là-bas je n'en ai pas besoin ; d'ailleurs elle supporte mal le voyage... ma valise n'est pas assez belle pour elle ; je la laisse dans la malle.

— Tu lui parles ?

— Nous nous parlons...

— Mais pour elle tu n'es pas une image...

— Je suis son copain et son amour.

— Tu n'as jamais eu d'ennui avec elle ?

— Elle ne me quitte pas ; elle est là, à l'intérieur de mon corps, au fond de mon âme ; quand je voyage, je m'en sépare pour ne pas l'étouffer. Quand on aime, il faut de temps en temps savoir se quitter un moment, sinon c'est insupportable.

— Mais elle est là chaque fois que tu la veux ?

— Il y a des fois où elle ne répond pas à mes appels... c'est moi qui ne suis pas bien à ce moment ; tu sais, une image c'est une image ; c'est à toi de lui donner une âme, une vie ; si tu t'y prends mal, eh bien, elle restera toujours une image, c'est-à-dire un morceau de papier...

— Habiba, tu crois que c'est une image ?

— Ça se peut...

— Les médecins vont se marrer quand je leur dirai que la magie est plus efficace que leurs machines...

— Les médecins... n'ont pas de remède contre l'exil, contre la solitude... Il faut dire que notre solitude est spéciale, elle est lourde et étrangère...

— Dis-moi, tu l'as rencontrée où, cette image ?

— Oh, je ne sais plus qui a rencontré qui...

Mon copain blond aux yeux marron semblait soulagé et heureux.

L'oiseau apatride a été en-
[chaîné
encamisolé
empoisonné
assassiné
mis en cellule
intercepté
et mis dans la caisse métallique
comme son frère
le Mômo

L'oiseau apatride, vous savez, le compatriote qui a mal dans la tête et qui est orphelin de beaucoup de choses, lui aussi est venu me voir. Il m'a raconté une drôle d'histoire. Ecoutez-la :

Tu sais, depuis que j'ai avalé une étoile, le ciel est moqueur. Tu n'as pas remarqué que ses couleurs me blessent. Alors pour me protéger, je me fais protéger par un gros nuage qui m'enveloppe. Tu sais, avant, sans même m'écouter, ils me donnaient des médicaments, plein de médicaments. J'avalais tout. Et puis un jour, j'ai tout jeté dans les égouts. Quand j'ai mal, je déchire mes draps. Ça me calme. La Sécurité sociale ne veut plus me payer. Elle me dit que je n'ai rien et que je devrais travailler ou rentrer chez moi. Je n'ai rien ! je n'ai rien ! ils ne savent pas comment le démon court dans mes veines et me fait vomir le foie et les tripes. Je suis empoisonné par le manque, le manque de vie et d'eau pure. Quand j'étais à l'hôpital, ils m'enfermaient dans l'obscurité et personne ne me parlait. Tu sais, mon frère, j'ai des blessures depuis la guerre, des blessures qui montent, montent avec la flamme de l'impatience. Tu comprends, je ne veux pas revenir au pays, diminué. J'ai honte. Je sais aussi des joies qui tombent avec le jour. Il m'arrive, quand vous partez tous au travail, d'être envahi par l'enfance. Tu sais, un sentiment étrange de revenir en arrière. Une lumière s'allume dans ce long couloir et je comprends qu'ils viennent me chercher. Je suis une chose gênante, une chose aveugle, sans amour, je suis une pierre mise à la porte de la nuit. Quand je parle de mes enfants, ils croient que je suis fou. Je suis fou peut-être. Expulsé et menacé, je ne dois pas crier. Une pierre, une chose, ça tombe, ça ne hurle pas ; n'est-ce pas ? Et puis, c'est moi qui suis parti du pays ; je suis parti clandestinement ; j'étais recherché par la police, car le gouverneur croyait que j'étais dangereux, tu sais l'histoire d'Oulad Khelifa, tu t'en sou-

viens, toi, la révolte et les morts. Moi j'avais pas d'armes, mais j'ai jeté des pierres, de grosses pierres, et puis je me suis enfui. Ici, quand j'ai débarqué, j'avais des problèmes pour dormir et puis des crises, je ne travaillais pas bien, et j'allais de boulot en boulot, et toujours clandestin, sans papiers, sans rien. Il a fallu attendre longtemps avant d'avoir une carte comme tout le monde, mais ça va pas. Il me reste le désordre. J'apprivoise cet oiseau qui vous emporte. La mort, c'est ça, un oiseau. Si je pars un jour, je partirai sur les ailes d'un canari. Tu sais, je suis léger, je peux voler, et ne fais pas de bruit. Quand je partirai, ne dis pas à ma famille que c'est pour toujours, mais que je suis parti en vacances très loin, vraiment loin. Je te donne ma chemise blanche. Et quand tu as envie de parler, viens me voir...

Quelques jours plus tard, il partit, sur la pointe des pieds, sans faire de bruit.

La malle avait mangé mes rêves et changé d'histoire.

Les murs dansaient dans les plis de la nuit. Ils s'entouraient de draps déchirés et tiraient sur la chevelure longue longue de mon désarroi.

Le ciel était cerné et les étoiles ivres d'absence. Retenues par des clous. Il y avait de gros clous enfoncés dans le grand linceul.

Tout m'expulsait. Les murs. Le ciel. Les étoiles. Ma peau.

Et si je changeais de territoire et de linceul ?

« Je crois à l'inhumanité fondamentale des hommes. Quand ils ne vous expulsent pas de votre maison, de votre terre, ils vous enfoncent dans une fosse commune et vous saupoudrent de mépris... »

Ça sonnait juste dans ma tête.

Je savais que j'étais dans une fosse commune. Pour en sortir, je devais escalader des murs, marcher sur des corps et avaler des araignées.

Le ciel était cerné.

Mes rêves manquaient.

Le chant d'une rivière me traversait. L'image d'un homme à béret appuyé sur une canne et sa fille courant le rejoindre. Une odeur d'herbe écrasée par des bottes d'hiver. Décembre dans ce regard. Une saison à écrire sur un corps nubile.

Le ciel perdait ses clous.

Des avions israéliens ont bombardé des camps palestiniens dans le Sud-Liban. Encore une fois le Conseil de sécurité et des émotions plastifiées.

Je sortais juste de la malle. Nu. Mes rêves

ne m'habitaient plus. Ma chambre se vidait de ses artifices. Le ciel se baissait en fin de journée. Je marchais sur une route. C'était une forêt désolée par l'hiver précoce.

Ma petite m'a écrit ce jour. Tout va bien.

Nous avons bien reçu l'argent. Nous avons payé les dettes. Pas toutes. L'épicier nous fait toujours crédit mais de mauvaise humeur. Ma mère a vendu une broderie la semaine dernière. Mon frère n'est pas bien avec elle. Il réclame plus d'argent qu'avant et rentre tard. Ma mère dit que c'est la grande ville qui le trouble. A la radio ils ont parlé de Nord-Africains tués dans un café en France. Mon oncle veut acheter une petite épicerie. Depuis qu'il est revenu de là-bas, il souffre de son dos. Il dit que c'est le froid qui l'habite. Ses enfants ne l'aident pas beaucoup. Voilà. L'olivier est loin. Et moi je suis tout près de toi.

Après la lettre.

Le jour est monté du regard taciturne, de la main méfiante. La pierre et l'œil embrasés se posent sur les fragments d'une vie, sur un bout de rêve, voisins de l'aube qui me parle d'un corps rongé par l'absence.

C'est déjà la lassitude, le chant terni par l'ombre annonce la réclusion ordinaire, quelque chose d'inévitable qui arrive n'importe quand, n'importe où.

Pour échapper à cette certitude, je relis la lettre et le parfum de ma fille.

Ma fille m'a écrit un ciel d'embruns.

Parce que ses seins sont des diamants nés de l'écume et ses yeux des petits soleils qui rient, je ne sais plus aujourd'hui, du fond de ma malle, ma trappe, je ne sais plus de quel rêve Yasmina a surgi dans ma solitude, je ne sais plus la couleur et le grain de son corps, frêle, fragile comme une image, une transparence, une tendresse ou un ruisseau qui dort dans mes pensées, l'appel d'une flûte, la terre remuée par le chant, un corps peint et ta main qui voyage.

Ma fille, serais-tu une saison volée au temps ? Je t'ai conçue dans ma plus haute solitude, et j'ai attendu deux saisons pour te nommer.

Tu es restée au pays comme un printemps, comme l'oiseau serein. Je « seule » avec mes mots. Le rêve nous abandonne et je ne sais plus où aller.

Tu es ma fille égarée entre plusieurs bouts de phrases, entre les chutes des images, entre ma voix qui tranche et la terre qui s'éloigne.

Tu es ma fille de soie, invisible à la lumière, installée sur l'échelle du sommeil, une petite gazelle prise entre les doigts de mes nuits longues mais heureuses.

Es-tu du genre humain qui embrasse l'arc-en-ciel ? Es-tu une goutte d'eau suspendue à quelque branche ? Es-tu le rire qui m'aide à vivre, qui m'empêche de hurler ? Es-tu la lueur échappée à la ride du ciel ?

Si tu es le rire, tu ne diras rien si je t'apprends que je vis avec une image et le souvenir de ton parfum. Le souvenir de ton corps : une feuille qui frémit, et ma tête s'agrandit pour te faire un peu de place, une place où tu pourras jouer avec les vagues, où tu pourras danser, où tu deviendras cette fleur qui imite le soleil, géante dans le chant de mes insomnies. Il faut que je te dise : tes racines s'accrochent à mes veines et je ne sens plus la douleur, même quand je pars travailler, je te sens là, habité par toi. Tu vas et viens dans ce corps d'où tu chasses la nuit, l'œil mauvais, la pesanteur du jour enveloppé de poussière.

Ma fille, pardonne-moi si la nuit je me laisse envahir par l'image. Je suis certain que tu me comprends. Dis à ta mère qu'elle ne s'inquiète pas. Je ferai des heures supplémentaires. L'eau du ciel est sale.

menacé par la bonne santé des
[autres, j'ai
dû
camoufler mon lyrisme
et sortir.
celui qui va vivre
est un autre

J'ai décidé ce matin de sortir.

Sortir de la chambre. Sortir de mon corps. J'ai pensé qu'il fallait, de temps en temps, retoucher la vie, caresser les objets et les choses. Des choses qui s'animent, se déplacent mais ne dansent guère. C'est un peu triste. Fade.

Tirons un voile sur la laideur ordinaire.

J'aurais continué à croire à la laideur de ces lieux privés de vie, infirmes et orphelins de poésie et de générosité essentielles si je n'avais rencontré une petite étoile papillotante, une gazelle impatiente, une prairie de rêves, un verger d'espoir, un chant né d'une terre usurpée. Oui, j'aurais continué à aller de mon pays intérieur à l'usine, de mes phantasmes à mes souffrances, de la vie par procuration à son voile. Je me serais enfoncé de plus en plus dans cette solitude où j'organisais et désorganisais le monde, où je fabriquais le jour avec les bribes de la nuit, où je colorais l'enfer et me terrais dans un sac de sable. Tout me poussait à cette réclusion : la violence quotidienne, la vente de ma force de travail, la haine ou l'indifférence, l'exclusion systématique hors la vie, la séparation d'avec les miens. Il faut vous dire : le recours au souterrain de ma vie ne fut pas une joie, mais un besoin, une nécessité. Vous savez. Dehors, les ratonnades. Le crime. Les rafles. Les fouilles. L'humiliation. La peur. Alors je m'enveloppais dans la couverture magique et éjaculais mes rêves en plein ciel. Je me droguais d'images. Je ne m'en lassais jamais. Sauf quand... Mon monde s'arrangeait de plus en plus et ça m'effrayait. Quand il m'arrivait de sortir, c'était surtout pour justifier mon univers clos et intime, c'était pour redonner à mon désespoir la violence qui l'a fait naître.

J'ai rencontré Gazelle sur le sable, un jour où j'avais décidé de voir la mer, de humer l'algue, même si le ciel est brun, même si la mer est pâle.

Ses yeux d'abord. Son pays ensuite.

Ses yeux. C'est là que le soleil, mêlé à d'autres astres, s'est pris d'éternité, lumière tendre pour le regard des enfants. Un ciel de vertige peuplé de diamants. J'ai regardé dans ce ciel et j'y ai lu une mémoire qui a ses syllabes plantées ailleurs, dans une terre meurtrie, dans des camps, sous des tentes. Les yeux de Gazelle sont l'étendue de cette mémoire ; ils sont grands ; leur éclat est plein d'affection ; leur rire est fou d'espoir et d'amitié. Je me suis assis sur les bords de cette clarté et j'ai lu dans le chemin des étoiles ; j'ai aperçu un mirage, quelque chose qui scintille, quelque chose comme une ville blessée. Elle me dit : c'est Qods. Cette lumière, cette fête, ce chant des sables et du ciel ne peuvent être que de ma terre, mon poème natal.

Jérusalem, ville pliée sous le bras du ciel. Des enfants et des vagabonds lavent tes pierres. Femme de mes songes, je te devine, je te vois.

Je me suis donc assis au bord de cet océan rieur et j'ai lu d'autres blessures. La mort soudaine. Foudre du désert. A Baalabak un soir d'été, un soir d'août, ce corps entre tes mains, la vie arrachée dans la fraîcheur de ce ciel argenté. Partir sur un cheval ailé, un soir d'été. C'était ton père. Une main s'est abattue, tranchant un amour infini, et tes bras ouverts pour que la lune qui s'incline s'y repose.

Tu m'as parlé de cet homme sans évoquer la mort mais l'immense vie que tu gardes contenue en toi. Tu as appris à vivre l'absence comme l'espoir de la terre qui jaillit arbres et fleurs de tes gestes, de ta voix.

Ma solitude couverte d'un voile commençait à avoir des failles.

La mort de ton père ne m'a pas affligé, car tu as su me le dire vivant.

(Vous me direz peut-être : pourquoi cette histoire dans les méandres d'une réclusion ? L'amitié et l'amour que j'ai pour Gazelle m'ont guidé dans ma mémoire récente et ancienne. J'ai épousé cette mémoire, car elle est bonne et grave. Elle a de l'humour et de la générosité. Elle est source d'une grande tendresse. Je sortais d'une malle et je fus ébloui par un petit soleil fou. Gazelle est l'âme vivante, réelle que mon imaginaire, tout à fait lucide et réel, a rencontrée. Avec elle, la réclusion ne sera jamais solitaire. Comprenez bien : Gazelle n'est pas une image.)

Peut-être que mes syllabes sont folles. Je parle de Gazelle comme d'un astre. Mais je sentais que je n'allais plus être cet arbre arraché. Alors j'allais et venais, de ses yeux à la mer.

Ecoutez :

La voix traversée souvent de cristaux et de lumière donne à Gazelle un pouvoir d'éblouir et de fasciner. Mais Gazelle restait humaine. Elle n'usait jamais de ce pouvoir. Que ce soit dans un meeting ou dans une réunion d'amitié et de famille, nous aimons l'écouter, nous aimons être traversés par cette voix, ce ton impatient retenu par des doigts fins et tendres.

Elle parle peu d'elle.

Au bout de quelque temps, nous nous sommes rendu compte que cet être que nous aimons faisait plus que dissiper notre solitude. Nous connaissions peu de chose de la vie de Gazelle. De son pays, de sa terre en exil, elle nous parle souvent. Elle nous écoute beaucoup.

J'aurais pu rêver cette amitié fondamentale, mais je sais aujourd'hui qu'elle aurait été moindre — belle certes — que le souffle chaud d'une embrassade ou d'un repos partagé, un dîner improvisé sur une place publique.

Non seulement elle parle peu d'elle, mais

quand elle consent à nous raconter ses rêves, elle montre un peu de gêne. Au bout de la confidence, on sait qu'il y a un jardin, une saison sans chagrin, des bagues aux doigts du soleil.

Sur ton épaule, que de nuages se sont défaits. Jamais le silence n'a été chez toi cette absence blanche de la parole, ni cette lassitude des mots qui s'amassent et tombent. Le silence. Le champ où il fallait lire la fraternité de la main ouverte, la tendresse d'un regard qui rejoint l'herbe inachevée de l'automne. C'était aussi l'éclat de la foudre qui frappe ton peuple, notre corps, en plein visage, au moment où la détresse avance de fusillade en fusillade.

Les combats ont repris entre Phalangistes

et Palestiniens. La bataille fait rage. La situation est confuse. Le Liban se déchire.

Quand tes paupières se baissent, un peu pour voiler le songe que tu éloignes de toi, on comprend que, là-bas, la terre a été encore meurtrie, retournée sur du sang.

En 48, la guerre et quelque chose de plus ont déchiré notre corps et notre famille. Nous sommes partis la nuit. Tu sais, cette image permanente d'un peuple expulsé de sa terre, et qui longe la route avec des bagages et un bout de ciel dans les yeux... Que de peuples ont émigré vers le désert ! Que de peuples ont été retirés à la vie ! Nous marchions vers d'autres frontières. On se taisait. Une mémoire dépossédée avançait dans la nuit. Mon oncle, le frère de ma mère, un homme merveilleux — il faut que tu le connaisses —, avait refusé de quitter sa ferme. Il était déjà vieux ; il voulait faire de sa ferme un lieu de la survie palestinienne. Il a réussi. Il vit aujourd'hui en territoire occupé, entouré d'enfants.

Tu vois, ton histoire de réclusion solitaire, réclusion à laquelle nous sommes tous plus ou moins condamnés, est vraie, je veux dire je la comprends, mais elle reste limitée à l'individu ; elle n'est pas valable pour un peuple. Parce qu'un peuple, on ne peut pas l'exterminer.

Donne-moi des nouvelles de l'image...

Au commissariat, les inspecteurs-enquêteurs ne m'ont pas pris au sérieux. D'après eux, je ne suis qu'un débile qui fait une « bouffée délirante ». Mais ils m'ont vraiment lessivé, ils ont lavé mon crâne. J'étais au bord de la faillite. Quand ils m'ont relâché, je n'avais plus rien dans la tête. L'image avait disparu. Je ne savais plus lui parler. Plus rien ne sortait de cette tête. Ils m'ont administré plein de médicaments, des produits bizarres. Je vomissais tout le temps. Ce devait être ce qu'on appelle « lavage de cerveau ». La première nuit dans la chambre, j'avais tellement mal que j'ai tout déchiré : mes chemises, mes draps... je vomissais... j'avais perdu la parole... Des médecins sont venus ; ils m'ont hospitalisé ; je dormais tout le temps ; dans ma tête c'était le vide, ou alors un gros nuage blanc ; j'avais même perdu la mémoire. Tout ça à cause d'une femme, tu comprends, Gazelle, à cause de l'absence et non du rêve. J'ai mis beaucoup de temps pour m'en sortir. Aujourd'hui, ma peau a pris quelques rides de plus. J'aurais pu me laisser aller... j'aurais sombré totalement. Ma lucidité a grandi. Quand je t'ai rencontrée — c'était à Royan, n'est-ce pas ? — j'étais sur le point de prendre une décision importante : rentrer au pays ou bien rester ici, mais dans d'autres conditions. A présent, je ne sais plus. En fait, rentrer au pays, politiquement c'est une bonne chose. Mais en ce moment, je sens de plus en plus le besoin de sortir de moi, sortir de ma malle, aller ailleurs, aller avec les autres, être avec les autres... ma misère personnelle n'intéresse pas grand monde... Je pourrais militer dans un syndicat ; pour cela, il faut faire pas mal de concessions ; et puis non ! Les syndicats ici veulent améliorer les choses, ils ne font rien pour les bouleverser de manière radicale, totale. Ils sont respectueux du travail. Le travail est une superbe aliénation, car personne n'a le droit de faire ce qu'il a envie de faire. Le travail mange la vie ; il la dévore et annule le corps des hommes. Comme dit mon copain François : « Je n'ai pas envie de passer ma vie à la gagner pour la perdre. » Les gens ne s'expriment pas. Tu crois, toi, qu'un travailleur — émigré ou autre — a le temps de vivre ? Il a juste le temps de fabriquer des images ; des images qui finissent par l'étrangler dans son sommeil ; un travail social nécessaire devrait permettre aux hommes de vivre, c'est-à-dire d'exprimer leur subjectivité, tu comprends ?

Ecoute ce que dit encore François :

Faut-il que la vie ne soit que ceci :
la traîne des morts
qui nous ont abandonnés,
rois dérisoires ?

Tous les jours, les cigognes des âges
traversent mes rêves.
Elles vont vers la grande prairie,
où flânent des visages,

tous les visages des morts
qui ont oublié les vivants,
et qui pleurent, depuis si longtemps,
si doucement, dans notre galaxie.

Tu vois ? Je vais te dessiner l'itinéraire d'un expatrié : misère locale — passeport — corruption — humiliation — visite médicale — office de l'émigration — voyage — longue traversée — logement de hasard — travail — métro — la malle — la masturbation — la foudre — l'accident — l'hôpital ou le cimetière — le mandat — les vacances — les illusions — le retour — la douane — l'hôpital — la mort — l'accident — la masturbation — la putain — la chaude pisse — le métro — des images — des images — des images...

Il reste, bien sûr, l'autre solution : celle-là, on ne l'écrit pas, on ne disserte pas dessus, on la fait.

Les mots m'ont tellement [trahi
que ce livre est un corps tra- [vesti.

Hydra-Paris, 1975-76

DU MÊME AUTEUR

Harrouda

roman

Denoël, « Les lettres nouvelles », 1973
« Relire », 1977
et « Médianes », 1982

Les amandiers sont morts de leurs blessures

poèmes

Maspero, « Voix », 1976
prix de l'Amitié franco-arabe, 1976
et Seuil, « Points », n° P543

La Mémoire future

Anthologie de la nouvelle poésie du Maroc

Maspero, « Voix », 1976 (épuisé)

La Plus Haute des solitudes

essai

Seuil, « Combats », 1977
et « Points » n° P377

Moha le fou, Moha le sage

roman

Seuil, 1978,
prix des Bibliothécaires de France
et de Radio Monte-Carlo, 1979
et « Points », n° P358

À l'insu du souvenir

poèmes

Maspero, « Voix », 1980

La Prière de l'absent

roman

Seuil, 1981
et « Points », n° P376

L'Écrivain public

récit

Seuil, 1983
et « Points », n° P428

Hospitalité française

Seuil, « L'histoire immédiate », 1984 et 1997 (nouvelle édition)
et « Points Actuels », n° A 65

La Fiancée de l'eau

théâtre, suivi de

Entretiens avec M. Saïd Hammadi, ouvrier algérien

Actes Sud, 1984

L'Enfant de sable

roman
Seuil, 1985
et « Points », n° P 7

La Nuit sacrée

roman
Seuil, 1987
prix Goncourt
et « Points », n° P 113

Jour de silence à Tanger

récit
Seuil, 1990
et « Points », n° P 160

Les Yeux baissés

roman
Seuil, 1991
et « Points », n° P 359

Alberto Giacometti

Flohic, 1991

La Remontée des cendres

suivi de

Non identifiés

poèmes
Édition bilingue,
version arabe de Kadhim Jihad
Seuil, 1991
et « Points », n° P 544

L'Ange aveugle
nouvelles
Seuil, 1992
et « Points », n° P 64

L'Homme rompu
roman
Seuil, 1994
et « Points » n° P 116

Éloge de l'Amitié
Arléa, 1994
et rééd. sous le titre Éloge de l'Amitié, ombres de la trahison
Seuil, « Points », n° P 1079

Poésie complète
Seuil, 1995

Le premier amour est toujours le dernier
nouvelles
Seuil, 1995
et « Points » n° P 278

Les Raisins de la galère
roman
Fayard, « Libres », 1996

La Nuit de l'erreur
roman
Seuil, 1997
et « Points » n° P 541

Le Racisme expliqué à ma fille
document
Seuil, 1998
et nouvelle édition, suivie de La Montée des haines, *2004*

L'Auberge des pauvres
roman
Seuil, 1999
et « Points », n° P 746

Labyrinthe des sentiments
roman
Stock, 1999
Seuil, « Points », n° P822

Cette aveuglante absence de lumière
roman
Seuil, 2001
et « Points », n° P967

L'Islam expliqué aux enfants
Seuil, 2002

Amours sorcières
nouvelles
Seuil, 2003
et « Points », n° P1173

Le Dernier Ami
Seuil, 2004

IMPRIMERIE BRODARD ET TAUPIN À LA FLÈCHE (11-04)
DÉPÔT LÉGAL : OCTOBRE 1995. N° 25913-4 (26843)

Collection Points

DERNIERS TITRES PARUS

P750. La Statue de la liberté, *par Michel Rio*
P751. Le Grand Passage, *par Cormac McCarthy*
P752. Glamour Attitude, *par Jay McInerney*
P753. Le Soleil de Breda, *par Arturo Pérez-Reverte*
P754. Le Prix, *par Manuel Vázquez Montalbán*
P755. La Sourde, *par Jonathan Kellerman*
P756. Le Sténopé, *par Joseph Bialot*
P757. Carnivore Express, *par Stéphanie Benson*
P758. Monsieur Pinocchio, *par Jean-Marc Roberts*
P759. Les Enfants du Siècle, *par François-Olivier Rousseau*
P760. Paramour, *par Henri Gougaud*
P761. Les Juges, *par Elie Wiesel*
P762. En attendant le vote des bêtes sauvages
par Ahmadou Kourouma
P763. Une veuve de papier, *par John Irving*
P764. Des putes pour Gloria, *par William T. Vollman*
P765. Ecstasy, *par Irvine Welsh*
P766. Beau Regard, *par Patrick Roegiers*
P767. La Déesse aveugle, *par Anne Holt*
P768. Au cœur de la mort, *par Lawrence Block*
P769. Fatal Tango, *par Jean-Paul Nozière*
P770. Meurtres au seuil de l'an 2000
par Éric Bouhier, Yves Dauteuille, Maurice Detry,
Dominique Gacem, Patrice Verry
P771. Le Tour de France n'aura pas lieu, *par Jean-Noël Blanc*
P772. Sharkbait, *par Susan Geason*
P773. Vente à la criée du lot 49, *par Thomas Pynchon*
P774. Grand Seigneur, *par Louis Gardel*
P775. La Dérive des continents, *par Morgan Sportès*
P776. Single & Single, *par John le Carré*
P777. Ou César ou rien, *par Manuel Vázquez Montalbán*
P778. Les Grands Singes, *par Will Self*
P779. La Plus Belle Histoire de l'homme, *par André Langaney,*
Jean Clottes, Jean Guilaine et Dominique Simonnet
P780. Le Rose et le Noir, *par Frédéric Martel*
P781. Le Dernier Coyote, *par Michael Connelly*
P782. Prédateurs, *par Noël Simsolo*
P783. La gratuité ne vaut plus rien, *par Denis Guedj*

P784. Le Général Solitude, *par Éric Faye*
P785. Le Théorème du perroquet, *par Denis Guedj*
P786. Le Merle bleu, *par Michèle Gazier*
P787. Anchise, *par Maryline Desbiolles*
P788. Dans la nuit aussi le ciel, *par Tiffany Tavernier*
P789. À Suspicious River, *par Laura Kasischke*
P790. Le Royaume des voix, *par Antonio Muñoz Molina*
P791. Le Petit Navire, *par Antonio Tabucchi*
P792. Le Guerrier solitaire, *par Henning Mankell*
P793. Ils y passeront tous, *par Lawrence Block*
P794. Ceux de la Vierge obscure, *par Pierre Mezinski*
P795. La Refondation du monde, *par Jean-Claude Guillebaud*
P796. L'Amour de Pierre Neuhart, *par Emmanuel Bove*
P797. Le Pressentiment, *par Emmanuel Bove*
P798. Le Marida, *par Myriam Anissimov*
P799. Toute une histoire, *par Günter Grass*
P800. Jésus contre Jésus, *par Gérard Mordillat et Jérôme Prieur*
P801. Connaissance de l'enfer, *par António Lobo Antunes*
P802. Quasi objets, *par José Saramago*
P803. La Mante des Grands-Carmes, *par Robert Deleuse*
P804. Neige, *par Maxence Fermine*
P805. L'Acquittement, *par Gaëtan Soucy*
P806. L'Évangile selon Caïn, *par Christian Lehmann*
P807. L'Invention du père, *par Arnaud Cathrine*
P808. Le Premier Jardin, *par Anne Hébert*
P809. L'Isolé Soleil, *par Daniel Maximin*
P810. Le Saule, *par Hubert Selby Jr.*
P811. Le Nom des morts, *par Stewart O'Nan*
P812. V., *par Thomas Pynchon*
P813. Vineland, *par Thomas Pynchon*
P814. Malina, *par Ingeborg Bachmann*
P815. L'Adieu au siècle, *par Michel Del Castillo*
P816. Pour une naissance sans violence, *par Frédérick Leboyer*
P817. André Gide, *par Pierre Lepape*
P818. Comment peut-on être breton ?, *par Morvan Lebesque*
P819. London Blues, *par Anthony Frewin*
P820. Sempre caro, *par Marcello Fois*
P821. Palazzo maudit, *par Stéphanie Benson*
P822. Le Labyrinthe des sentiments, *par Tahar Ben Jelloun*
P823. Iran, les rives du sang, *par Fariba Hachtroudi*
P824. Les Chercheurs d'os, *par Tahar Djaout*
P825. Conduite intérieure, *par Pierre Marcelle*
P826. Tous les noms, *par José Saramago*

P827. Méridien de sang, *par Cormac McCarthy*
P828. La Fin des temps, *par Haruki Murakami*
P830. Pour que la terre reste humaine, *par Nicolas Hulot, Robert Barbault et Dominique Bourg*
P831. Une saison au Congo, *par Aimé Césaire*
P832. Le Manège espagnol, *par Michel Del Castillo*
P833. Le Berceau du chat, *par Kurt Vonnegut*
P834. Billy Straight, *par Jonathan Kellerman*
P835. Créance de sang, *par Michael Connelly*
P836. Le Petit Reporter, *par Pierre Desproges*
P837. Le Jour de la fin du monde…, *par Patrick Grainville*
P838. La Diane rousse, *par Patrick Grainville*
P839. Les Forteresses noires, *par Patrick Grainville*
P840. Une rivière verte et silencieuse, *par Hubert Mingarelli*
P841. Le Caniche noir de la diva, *par Helmut Krausser*
P842. Le Pingouin, *par Andreï Kourkov*
P843. Mon siècle, *par Günter Grass*
P844. Les Deux Sacrements, *par Heinrich Böll*
P845. Les Enfants des morts, *par Heinrich Böll*
P846. Politique des sexes, *par Sylviane Agacinski*
P847. King Suckerman, *par George P. Pelecanos*
P848. La Mort et un peu d'amour, *par Alexandra Marinina*
P849. Pudding mortel, *par Margaret Yorke*
P850. Hemoglobine Blues, *par Philippe Thirault*
P851. Exterminateurs, *par Noël Simsolo*
P852. Une curieuse solitude, *par Philippe Sollers*
P853. Les Chats de hasard, *par Anny Duperey*
P854. Les poissons me regardent, *par Jean-Paul Dubois*
P855. L'Obéissance, *par Suzanne Jacob*
P856. Visions fugitives, *par William Boyd*
P857. Vacances anglaises, *par Joseph Connolly*
P858. Le Diamant noir, *par Peter Mayle*
P859. Péchés mortels, *par Donna Leon*
P860. Le Quintette de Buenos Aires *par Manuel Vázquez Montalbán*
P861. Y'en a marre des blondes, *par Lauren Anderson*
P862. Descente d'organes, *par Brigitte Aubert*
P863. Autoportrait d'une psychanalyste, *par Françoise Dolto*
P864. Théorie quantitative de la démence, *par Will Self*
P865. Cabinet d'amateur, *par Georges Perec*
P866. Confessions d'un enfant gâté, *par Jacques-Pierre Amette*
P867. Génis ou le Bambou parapluie, *par Denis Guedj*
P868. Le Seul Amant, *par Eric Deschodt, Jean-Claude Lattès*

P869. Un début d'explication, *par Jean-Marc Roberts*
P870. Petites Infamies, *par Carmen Posadas*
P871. Les Masques du héros, *par Juan Manuel de Prada*
P872. Mal'aria, *par Eraldo Baldini*
P873. Leçons américaines, *par Italo Calvino*
P874. L'Opéra de Vigata, *par Andrea Camilleri*
P875. La Mort des neiges, *par Brigitte Aubert*
P876. La lune était noire, *par Michael Connelly*
P877. La Cinquième Femme, *par Henning Mankell*
P878. Le Parc, *par Philippe Sollers*
P879. Paradis, *par Philippe Sollers*
P880. Psychanalyse six heures et quart
par Gérard Miller, Dominique Miller
P881. La Décennie Mitterrand 4
par Pierre Favier, Michel Martin-Roland
P882. Trois Petites Mortes, *par Jean-Paul Nozière*
P883. Le Numéro 10, *par Joseph Bialot*
P884. La seule certitude que j'ai, c'est d'être dans le doute
par Pierre Desproges
P885. Les Savants de Bonaparte, *par Robert Solé*
P886. Un oiseau blanc dans le blizzard, *par Laura Kasischke*
P887. La Filière émeraude, *par Michael Collins*
P888. Le Bogart de la cambriole, *par Lawrence Block*
P889. Le Diable en personne, *par Robert Lalonde*
P890. Les Bons Offices, *par Pierre Mertens*
P891. Mémoire d'éléphant, *par Antonio Lobo Antunes*
P892. L'Œil d'Ève, *par Karin Fossum*
P893. La Croyance des voleurs, *par Michel Chaillou*
P894. Les Trois Vies de Babe Ozouf, *par Didier Decoin*
P895. L'Enfant de la mer de Chine, *par Didier Decoin*
P896. Le Soleil et la Roue, *par Rose Vincent*
P897. La Plus Belle Histoire du monde, *par Joël de Rosnay*
Hubert Reeves, Dominique Simonnet, Yves Coppens
P898. Meurtres dans l'audiovisuel, *par Yan Bernabot, Guy Buffet*
Frédéric Karar, Dominique Mitton
et Marie-Pierre Nivat-Henocque
P899. Tout le monde descend, *par Jean-Noël Blanc*
P900. Les Belles Âmes, *par Lydie Salvayre*
P901. Le Mystère des trois frontières, *par Eric Faye*
P902. Petites Natures mortes au travail, *par Yves Pagès*
P903. Namokel, *par Catherine Lépront*
P904. Mon frère, *par Jamaica Kincaid*
P905. Maya, *par Jostein Gaarder*

P906. Le Fantôme d'Anil, *par Michael Ondaatje*
P907. Quatre Voyageurs, *par Alain Fleischer*
P908. La Bataille de Paris, *par Jean-Luc Einaudi*
P909. L'Amour du métier, *par Lawrence Block*
P910. Biblio-quête, *par Stéphanie Benson*
P911. Quai des désespoirs, *par Roger Martin*
P912. L'Oublié, *par Elie Wiesel*
P913. La Guerre sans nom
par Patrick Rotman et Bertrand Tavernier
P914. Cabinet-portrait, *par Jean-Luc Benoziglio*
P915. Le Loum, *par René-Victor Pilhes*
P916. Mazag, *par Robert Solé*
P917. Les Bonnes Intentions, *par Agnès Desarthe*
P918. Des anges mineurs, *par Antoine Volodine*
P919. L'Ingénieux Hidalgo Don Quichotte 1
par Miguel de Cervantes
P920. L'Ingénieux Hidalgo Don Quichotte 2
par Miguel de Cervantes
P921. La Taupe, *par John le Carré*
P922. Comme un collégien, *par John le Carré*
P923. Les Gens de Smiley, *par John le Carré*
P924. Les Naufragés de la Terre sainte, *par Sheri Holman*
P925. Épître des destinées, *par Gamal Ghitany*
P926. Sang du ciel, *par Marcello Fois*
P927. Meurtres en neige, *par Margaret Yorke*
P928. Heureux les imbéciles, *par Philippe Thirault*
P929. Beatus Ille, *par Antonio Muñoz Molina*
P930. Le Petit Traité des grandes vertus
par André Comte-Sponville
P931. Le Mariage berbère, *par Simonne Jacquemard*
P932. Dehors et pas d'histoires, *par Christophe Nicolas*
P933. L'Homme blanc, *par Tiffany Tavernier*
P934. Exhortation aux crocodiles, *par Antonio Lobo Antunes*
P935. Treize Récits et Treize Épitaphes, *par William T. Vollmann*
P936. La Traversée de la nuit
par Geneviève de Gaulle Anthonioz
P937. Le Métier à tisser, *par Mohammed Dib*
P938. L'Homme aux sandales de caoutchouc, *par Kateb Yacine*
P939. Le Petit Col des loups, *par Maryline Desbiolles*
P940. Allah n'est pas obligé, *par Ahmadou Kourouma*
P941. Veuves au maquillage, *par Pierre Senges*
P942. La Dernière Neige, *par Hubert Mingarelli*
P943. Requiem pour une huître, *par Hubert Michel*

P944. Morgane, *par Michel Rio*
P945. Oncle Petros et la Conjecture de Goldbach
par Apostolos Doxiadis
P946. La Tempête, *par Juan Manuel de Prada*
P947. Scènes de la vie d'un jeune garçon, *par J.M. Coetzee*
P948. L'avenir vient de loin, *par Jean-Noël Jeanneney*
P949. 1280 Âmes, *par Jean-Bernard Pouy*
P950. Les Péchés des pères, *par Lawrence Block*
P951. Les Enfants de fortune, *par Jean-Marc Roberts*
P952. L'Incendie, *par Mohammed Dib*
P953. Aventures, *par Italo Calvino*
P954. Œuvres pré-posthumes, *par Robert Musil*
P955. Sérénissime Assassinat, *par Gabrielle Wittkop*
P956. L'Ami de mon père, *par Frédéric Vitoux*
P957. Messaouda, *par Abdelhak Serhane*
P958. La Croix et la Bannière, *par William Boyd*
P959. Une voix dans la nuit, *par Armistead Maupin*
P960. La Face cachée de la lune, *par Martin Suter*
P961. Des villes dans la plaine, *par Cormac McCarthy*
P962. L'Espace prend la forme de mon regard
par Hubert Reeves
P963. L'Indispensable Petite Robe noire, *par Lauren Henderson*
P964. Vieilles Dames en péril, *par Margaret Yorke*
P965. Jeu de main, jeu de vilain, *par Michelle Spring*
P966. Carlota Fainberg, *par Antonio Muñoz Molina*
P967. Cette aveuglante absence de lumière
par Tahar Ben Jelloun
P968. Manuel de peinture et de calligraphie, *par José Saramago*
P969. Dans le nu de la vie, *par Jean Hatzfeld*
P970. Lettres luthériennes, *par Pier Paolo Pasolini*
P971. Les Morts de la Saint-Jean, *par Henning Mankell*
P972. Ne zappez pas, c'est l'heure du crime, *par Nancy Star*
P973. Connaissance de la douleur, *par Carlo Emilio Gadda*
P974. Les Feux du Bengale, *par Amitav Ghosh*
P975. Le Professeur et la Sirène
par Giuseppe Tomasi di Lampedusa
P976. Éloge de la phobie, *par Brigitte Aubert*
P977. L'Univers, les dieux, les hommes, *par Jean-Pierre Vernant*
P978. Les Gardiens de la vérité, *par Michael Collins*
P979. Jours de Kabylie, *par Mouloud Feraoun*
P980. La Pianiste, *par Elfriede Jelinek*
P981. L'homme qui savait tout, *par Catherine David*
P982. La Musique d'une vie, *par Andreï Makine*

P983. Un vieux cœur, *par Bertrand Visage*
P984. Le Caméléon, *par Andreï Kourkov*
P985. Le Bonheur en Provence, *par Peter Mayle*
P986. Journal d'un tueur sentimental et autres récits *par Luis Sepúlveda*
P987. Étoile de mère, *par G. Zoë Garnett*
P988. Le Vent du plaisir, *par Hervé Hamon*
P989. L'Envol des anges, *par Michael Connelly*
P990. Noblesse oblige, *par Donna Leon*
P991. Les Étoiles du Sud, *par Julien Green*
P992. En avant comme avant !, *par Michel Folco*
P993. Pour qui vous prenez-vous ?, *par Geneviève Brisac*
P994. Les Aubes, *par Linda Lê*
P995. Le Cimetière des bateaux sans nom *par Arturo Pérez-Reverte*
P996. Un pur espion, *par John le Carré*
P997. La Plus Belle Histoire des animaux, *par Boris Cyrulnik, Jean-Pierre Digard, Pascal Picq, Karine-Lou Matignon*
P998. La Plus Belle Histoire de la Terre *par André Brahic, Paul Tapponnier Lester R. Brown, Jacques Girardon*
P999. La Plus Belle Histoire des plantes, *par Jean-Marie Pelt, Marcel Mazoyer, Théodore Monod, Jacques Girardon*
P1000. Le Monde de Sophie, *par Jostein Gaarder*
P1001. Suave comme l'éternité, *par George P. Pelecanos*
P1002. Cinq Mouches bleues, *par Carmen Posadas*
P1003. Le Monstre, *par Jonathan Kellerman*
P1004. À la trappe !, *par Andrew Klavan*
P1005. Urgence, *par Sarah Paretsky*
P1006. Galindez, *par Manuel Vázquez Montalbán*
P1007. Le Sanglot de l'homme blanc, *par Pascal Bruckner*
P1008. La Vie sexuelle de Catherine M., *par Catherine Millet*
P1009. La Fête des Anciens, *par Pierre Mertens*
P1010. Une odeur de mantèque, *par Mohammed Khaïr-Eddine*
P1011. N'oublie pas mes petits souliers, *par Joseph Connolly*
P1012. Les Bonbons chinois, *par Mian Mian*
P1013. Boulevard du Guinardó, *par Juan Marsé*
P1014. Des lézards dans le ravin, *par Juan Marsé*
P1015. Besoin de vélo, *par Paul Fournel*
P1016. La Liste noire, *par Alexandra Marinina*
P1017. La Longue Nuit du sans-sommeil, *par Lawrence Block*
P1018. Perdre, *par Pierre Mertens*
P1019. Les Exclus, *par Elfriede Jelinek*

P1020. Putain, *par Nelly Arcan*
P1021. La Route de Midland, *par Arnaud Cathrine*
P1022. Le Fil de soie, *par Michèle Gazier*
P1023. Paysages originels, *par Olivier Rolin*
P1024. La Constance du jardinier, *par John le Carré*
P1025. Ainsi vivent les morts, *par Will Self*
P1026. Doux Carnage, *par Toby Litt*
P1027. Le Principe d'humanité, *par Jean-Claude Guillebaud*
P1028. Bleu, histoire d'une couleur, *par Michel Pastoureau*
P1029. Speedway, *par Philippe Thirault*
P1030. Les Os de Jupiter, *par Faye Kellerman*
P1031. La Course au mouton sauvage, *par Haruki Murakami*
P1032. Les Sept Plumes de l'aigle, *par Henri Gougaud*
P1033. Arthur, *par Michel Rio*
P1034. Hémisphère Nord, *par Patrick Roegiers*
P1035. Disgrâce, *par J.M. Coetzee*
P1036. L'Âge de fer, *par J.M. Coetzee*
P1037. Les Sombres Feux du passé, *par Chang-rae Lee*
P1038. Les Voix de la liberté, *par Michel Winock*
P1039. Nucléaire Chaos, *par Stéphanie Benson*
P1040. Bienheureux ceux qui ont soif…, *par Anne Holt*
P1041. Le Marin à l'ancre, *par Bernard Giraudeau*
P1042. L'Oiseau des ténèbres, *par Michael Connelly*
P1043. Les Enfants des rues étroites, *par Abdelhak Sehrane*
P1044. L'Ile et Une nuit, *par Daniel Maximin*
P1045. Bouquiner, *par Annie François*
P1046. Nat Tate, *par William Boyd*
P1047. Le Grand Roman indien, *par Shashi Tharoor*
P1048. Les Lettres mauves, *par Lawrence Block*
P1049. L'Imprécateur, *par René-Victor Pilhes*
P1050. Le Stade de Wimbledon, *par Daniele Del Giudice*
P1051. La Deuxième Gauche, *par Hervé Hamon et Patrick Rotman*
P1052. La Tête en bas, *par Noëlle Châtelet*
P1053. Le Jour de la cavalerie, *par Hubert Mingarelli*
P1054. Le Violon noir, *par Maxence Fermine*
P1055. Vita Brevis, *par Jostein Gaarder*
P1056. Le Retour des caravelles, *par António Lobo Antunes*
P1057. L'Enquête, *par Juan José Saer*
P1058. Pierre Mendès France, *par Jean Lacouture*
P1059. Le Mètre du monde, *par Denis Guedj*
P1060. Mort d'une héroïne rouge, *par Qiu Xiaolong*
P1061. Angle mort, *par Sara Paretsky*

P1062. La Chambre d'écho, *par Régine Detambel*
P1063. Madame Seyerling, *par Didier Decoin*
P1064. L'Atlantique et les Amants, *par Patrick Grainville*
P1065. Le Voyageur, *par Alain Robbe-Grillet*
P1066. Le Chagrin des Belges, *par Hugo Claus*
P1067. La Ballade de l'impossible, *par Haruki Murakami*
P1068. Minoritaires, *par Gérard Miller*
P1069. La Reine scélérate, *par Chantal Thomas*
P1070. Trompe la mort, *par Lawrence Block*
P1071. V'là aut' chose, *par Nancy Star*
P1072. Jusqu'au dernier, *par Deon Meyer*
P1073. Le Rire de l'ange, *par Henri Gougaud*
P1074. L'Homme sans fusil, *par Ysabelle Lacamp*
P1075. Le Théoriste, *par Yves Pagès*
P1076. L'Artiste des dames, *par Eduardo Mendoza*
P1077. Les Turbans de Venise, *par Nedim Gürsel*
P1078. Zayni Barakat, *par Ghamal Ghitany*
P1079. Éloge de l'amitié, ombre de la trahison
par Tahar Ben Jelloun
P1080. La Nostalgie du possible. Sur Pessoa
par Antonio Tabucchi
P1081. La Muraille invisible, *par Henning Mankell*
P1082. Ad vitam aeternam, *par Thierry Jonquet*
P1083. Six Mois au fond d'un bureau, *par Laurent Laurent*
P1084. L'Ami du défunt, *par Andreï Kourkov*
P1085. Aventures dans la France gourmande, *par Peter Mayle*
P1086. Les Profanateurs, *par Michael Collins*
P1087. L'Homme de ma vie, *par Manuel Vázquez Montalbán*
P1088. Wonderland Avenue, *par Michael Connelly*
P1089. L'Affaire Paola, *par Donna Leon*
P1090. Nous n'irons plus au bal, *par Michelle Spring*
P1091. Les Comptoirs du Sud, *par Philippe Doumenc*
P1092. Foraine, *par Paul Fournel*
P1093. Mère agitée, *par Nathalie Azoulay*
P1094. Amanscale, *par Maryline Desbiolles*
P1095. La Quatrième Main, *par John Irving*
P1096. La Vie devant ses yeux, *par Laura Kasischke*
P1097. Foe, *par J.M. Coetzee*
P1098. Les Dix Commandements, *par Marc-Alain Ouaknin*
P1099. Errance, *par Raymond Depardon*
P1100. Dr la Mort, *par Jonathan Kellerman*
P1101. Tatouage à la fraise, *par Lauren Henderson*
P1102. La Frontière, *par Patrick Bard*

P1103. La Naissance d'une famille, *par T. Berry Brazelton*
P1104. Une mort secrète, *par Richard Ford*
P1105. Blanc comme neige, *par George P. Pelecanos*
P1106. Jours tranquilles à Belleville, *par Thierry Jonquet*
P1107. Amants, *par Catherine Guillebaud*
P1108. L'Or du roi, *par Arturo Perez-Reverte*
P1109. La Peau d'un lion, *par Michael Ondaatje*
P1110. Funérarium, *par Brigitte Aubert*
P1111. Requiem pour une ombre, *par Andrew Klavan*
P1113. Tigre en papier, *par Olivier Rolin*
P1114. Le Café Zimmermann, *par Catherine Lépront*
P1115. Le Soir du chien, *par Marie-Hélène Lafon*
P1116. Hamlet, pan, pan, pan, *par Christophe Nicolas*
P1117. La Caverne, *par José Saramago*
P1118. Un ami parfait, *par Martin Suter*
P1119. Chang et Eng le double-garçon, *par Darin Strauss*
P1120. Les Amantes, *par Elfriede Jelinek*
P1121. L'Étoffe du diable, *par Michel Pastoureau*
P1122. Meurtriers sans visage, *par Henning Mankell*
P1123. Taxis noirs, *par John McLaren*
P1124. La Revanche de Dieu, *par Gilles Kepel*
P1125. À ton image, *par Louise L. Lambrichs*
P1126. Les Corrections, *par Jonathan Franzen*
P1127. Les Abeilles et la Guêpe, *par François Maspero*
P1128. Les Adieux à la Reine, *par Chantal Thomas*
P1129. Dondog, *par Antoine Volodine*
P1130. La Maison Russie, *par John le Carré*
P1131. Livre de chroniques, *par António Lobo Antunes*
P1132. L'Europe en première ligne, *par Pascal Lamy*
P1133. Les Nouveaux Maîtres du monde, *par Jean Ziegler*
P1134. Tous des rats, *par Barbara Seranella*
P1135. Des morts à la criée, *par Ed Dee*
P1136. Allons voir plus loin, veux-tu ?, *par Anny Duperey*
P1137. Les Papas et les Mamans, *par Diastème*
P1138. Phantasia, *par Abdelwahab Meddeb*
P1139. Métaphysique du chien, *par Philippe Ségur*
P1140. Mosaïque, *par Claude Delarue*
P1141. Dormir accompagné, *par António Lobo Antunes*
P1142. Un monde ailleurs, *par Stewart O'Nan*
P1143. Rocks Springs, *par Richard Ford*
P1144. L'Ami de Vincent, *par Jean-Marc Roberts*
P1145. La Fascination de l'étang, *par Virginia Woolf*
P1146. Ne te retourne pas, *par Karin Fossum*

P1147. Dragons, *par Marie Desplechin*
P1148. La Médaille, *par Lydie Salvayre*
P1149. Les Beaux Bruns, *par Patrick Gourvennec*
P1150. Poids léger, *par Olivier Adam*
P1151. Les Trapézistes et le Rat, *par Alain Fleischer*
P1152. À livre ouvert, *par William Boyd*
P1153. Péchés innombrables, *par Richard Ford*
P1154. Une situation difficile, *par Richard Ford*
P1155. L'éléphant s'évapore, *par Haruki Murakami*
P1156. Un amour dangereux, *par Ben Okri*
P1157. Le Siècle des communismes, *ouvrage collectif*
P1158. Funky Guns, *par George P. Pelecanos*
P1159. Les Soldats de l'aube, *par Deon Meyer*
P1160. Le Figuier, *par François Maspero*
P1161. Les Passagers du Roissy-Express, *par François Maspero*
P1125. À ton image, *par Louise L. Lambrichs*
P1162. Visa pour Shanghaï, *par Qiu Xiaolong*
P1163. Des dahlias rouge et mauve, *par Frédéric Vitoux*
P1164. Il était une fois un vieux couple heureux
par Mohammed Khaïr-Eddine
P1165. Toilette de chat, *par Jean-Marc Roberts*
P1166. Catalina, *par Florence Delay*
P1167. Nid d'hommes, *par Lu Wenfu*
P1168. La Longue Attente, *par Ha Jin*
P1169. Pour l'amour de Judith, *par Meir Shalev*
P1170. L'Appel du couchant, *par Gamal Ghitany*
P1171. Lettres de Drancy
P1172. Quand les parents se séparent, *par Françoise Dolto*
P1173. Amours sorcières, *par Tahar Ben Jelloun*
P1174. Sale Temps, *par Sara Paretsky*
P1175. L'Ange du Bronx, *par Ed Dee*
P1176. La Maison du désir, *par France Huser*
P1177. Cytomégalovirus, *par Hervé Guibert*
P1178. Les Treize Pas, *par Mo Yan*
P1179. Le Pays de l'alcool, *par Mo Yan*
P1180. Le Principe de Frédelle, *par Agnès Desarthe*
P1181. Les Gauchers, *par Yves Pagès*
P1182. Rimbaud en Abyssinie, *par Alain Borer*
P1183. Tout est illuminé, *par Jonathan Safran Foer*
P1184. L'Enfant zigzag, *par David Grossman*
P1185. La Pierre de Rosette, *par Robert Solé*
et Dominique Valbelle
P1186. Le Maître de Petersbourg, *par J.M. Coetzee*

P1187. Les Chiens de Riga, *par Henning Mankell*
P1188. Le Tueur, *par Eraldo Baldini*
P1189. Un silence de fer, *par Marcello Fois*
P1190. La Filière du jasmin, *par Denise Hamilton*
P1191. Déportée en Sibérie, *par Margarete Buber-Neumann*
P1192. Les Mystères de Buenos Aires, *par Manuel Puig*
P1193. La Mort de la phalène, *par Virginia Woolf*
P1194. Sionoco, *par Leon de Winter*
P1195. Poèmes et Chansons, *par Georges Brassens*
P1196. Innocente, *par Dominique Souton*
P1197. Taking Lives/Destins violés, *par Michael Pye*
P1198. Gang, *par Toby Litt*
P1199. Elle est partie, *par Catherine Guillebaud*
P1200. Le Luthier de Crémone, *par Herbert Le Porrier*
P1201. Le Temps des déracinés, *par Elie Wiesel*
P1202. Les Portes du sang, *par Michel del Castillo*
P1203. Featherstone, *par Kirsty Gunn*
P1204. Un vrai crime pour livres d'enfants, *par Chloe Hooper*
P1205. Les Vagabonds de la faim, *par Tom Kromer*
P1206. Mister Candid, *par Jules Hardy*
P1207. Déchaînée, *par Lauren Henderson*
P1208. Hypnose mode d'emploi, *par Gérard Miller*
P1209. Corse, *par Jean-Noël Pancrazi et Raymond Depardon*
P1210. Le Dernier Viking, *par Patrick Grainville*
P1211. Charles et Camille, *par Frédéric Vitoux*
P1212. Siloé, *par Paul Gadenne*
P1213. Bob Marley, *par Stephen Davies*
P1214. Ça ne peut plus durer, *par Joseph Connolly*
P1215. Tombe la pluie, *par Andrew Klavan*
P1216. Quatre Soldats, *par Hubert Mingarelli*
P1217. Les Cheveux de Bérénice, *par Denis Guedj*
P1218. Les Garçons d'en face, *par Michèle Gazier*
P1219. Talion, *par Christian de Montella*
P1220. Les Images, *par Alain Rémond*
P1221. La Reine du Sud, *par Arturo Perez-Reverte*
P1222. Vieille Menteuse, *par Anne Fine*
P1223. Danse, danse, danse, *par Haruki Murakami*
P1224. Le Vagabond de Holmby Park, *par Herbert Lieberman*
P1225. Des amis haut placés, *par Donna Leon*
P1226. Tableaux d'une ex., *par Jean-Luc Benoziglio*
P1227. La Compagnie, le grand roman de la CIA
par Robert Little
P1228. Chair et sang, *par Jonathan Kellerman*

P1230. Darling Lilly, *par Michael Connelly*
P1231. Les Tortues de Zanzibar, *par Giles Foden*
P1232. Il a fait l'idiot à la chapelle !, *par Daniel Auteuil*
P1233. Lewis & Alice, *par Didier Decoin*
P1234. Dialogue avec mon jardinier, *par Henri Cueco*
P1235. L'Émeute, *par Shashi Tharoor*
P1236. Le Palais des Miroirs, *par Amitav Ghosh*
P1237. La Mémoire du corps, *par Shauna Singh Baldwin*
P1238. Middlesex, *par Jeffrey Eugenides*
P1239. Je suis mort hier, *par Alexandra Marinina*
P1240. Cendrillon, mon amour, *par Lawrence Block*
P1241. L'Inconnue de Baltimore, *par Laura Lippman*
P1242. Berlinale Blitz, *par Stéphanie Benson*
P1243. Abattoir 5, *par Kurt Vonnegut*
P1244. Catalogue des idées reçues sur la langue
par Marina Yaguello
P1245. Tout se paye, *par Georges P. Pelacanos*
P1246. Autoportrait à l'ouvre-boîte, *par Philippe Ségur*
P1247. Tout s'avale, *par Hubert Michel*
P1248. Quand on aime son bourreau, *par Jim Lewis*
P1249. Tempête de glace, *par Rick Moody*
P1250. Dernières Nouvelles du bourbier
par Alexandre Ikonnikov
P1251. Le Rameau brisé, *par Jonathan Kellerman*
P1252. Passage à l'ennemie, *par Lydie Salvayre*
P1254. Le Goût de l'avenir, *par Jean-Claude Guillebaud*
P1255. L'Étoile d'Alger, *par Aziz Chouaki*
P1256. Cartel en tête, *par John McLaren*
P1257. Sans penser à mal, *par Barbara Seranella*
P1258. Tsili, *par Aharon Appelfeld*
P1259. Le Temps des prodiges, *par Aharon Appelfeld*
P1260. Ruines-de-Rome, *par Pierre Sengès*
P1261. La Beauté des loutres, *par Hubert Mingarelli*
P1262. La Fin de tout, *par Jay McInerney*
P1263. Jeanne et les siens, *par Michel Winock*
P1264. Les Chats mots, *par Anny Duperey*
P1265. Quand j'avais cinq ans, je m'ai tué, *par Howard Buten*
P1266. Vers l'âge d'homme, *par J.M. Coetzee*
P1267. L'Invention de Paris, *par Eric Hazan*
P1268. Chroniques de l'oiseau à ressort, *par Haruki Murakami*
P1269. En crabe, *par Günter Grass*
P1270. Mon père, ce harki, *par Dalila Kerchouche*
P1271. Lumière morte, *par Michael Connelly*

P1272. Détonations rapprochées, *par C.J. Box*
P1273. Lorsque la nature parlait aux Égyptiens
par Christian Desroches Noblecourt
P1274. Le Tribunal des Flagrants Délires, t. 1
par Pierre Desproges
P1275. Le Tribunal des Flagrants Délires, t. 2
par Pierre Desproges
P1276. Un amant naïf et sentimental, *par John le Carré*
P1277. Fragiles, *par Philippe Delerm et Martine Delerm*
P1278. La Chambre blanche, *par Christine Jordis*
P1279. Adieu la vie, adieu l'amour, *par Juan Marsé*
P1280. N'entre pas si vite dans cette nuit noire
par António Lobo Antunes
P1281. L'Évangile selon saint Loubard, *par Guy Gilbert*
P1282. La femme qui attendait, *par Andreï Makine*
P1283. Les Candidats, *parYun Sun Limet*
P1284. Petit Traité de désinvolture
par Denis Grozdanovitch
P1285. Personne, *par Linda Lê*
P1286. Sur la photo, *par Marie-Hélène Lafon*
P1287. Le Mal du pays, *par Patrick Roegiers*
P1288. Politique, *par Adam Thirlwell*
P1289. Érec et Énide, *par Manuel Vazquez Montalban*
P1290. La Dormeuse de Naples, *par Adrien Goetz*
P1291. Le croque-mort a la vie dure, *par Tim Cockey*
P1292. Pretty Boy, *par Lauren Henderson*
P1293. La Vie sexuelle en France, *par Janine Mossuz-Lavau*
P1294. Encres de Chine, *par Qiu Xiaolong*
P1295. Dans l'alcool, *par Thierry Vimal*
P1296. Le Monument, *par Claude Duneton*
P1297. Mon nerf, *par Rachid Djaïdani*
P1298. Plutôt mourir, *par Marcello Fois*
P1299. Les pingouins n'ont jamais froid
par Andreï Kourkov
P1300. La Mitrailleuse d'argile, *par Viktor Pelevine*
P1301. Un été à Baden-Baden, *par Leonid Tsypkin*
P1302. Hasard des maux, *par Kate Jennings*
P1303. Le Temps des erreurs, *par Mohammed Choukri*
P1304. Boumkoeur, *par Rachid Djaïdani*
P1305. Vodka-Cola, *par Irina Denejkina*
P1306. La Lionne blanche, *par Henning Mankell*
P1307. Le Styliste, *par Alexandra Marinina*
P1308. Pas d'erreur sur la personne, *par Ed Dee*